부딪히며 아파하고 사랑하며 함께 가는 길

김서영 지음

도서명 | 부딪히며 아파하고 사랑하며 함께 가는 길
발 행 | 2024년 01월 10일
저 자 | 김서영
펴낸이 | 한건희 **편집** | 진익성
펴낸곳 | 주식회사 부크크
출판사등록 | 2014.07.15.(제2014-16호)
주 소 | 서울특별시 금천구 가산디지털1로 119 SK트윈타워 A동 305호
전 화 | 1670-8316
이메일 | info@bookk.co.kr

ISBN | 979-11-410-6587-4

www.bookk.co.kr

차례

작가의 말

순간이 쌓여 과거가 되고
순간의 흐름이 미래가 되기에

과거에 매달리지도 말고
미래를 궁금해 하지도 말고

매순간 인연한 모든 일에
후회 없이 최선을 다해야지.

목적지가 있는 달음박질이 아닌
달리고 있는 이 자리가 목적지라는
생각으로 살아야지.

인간은 행복하기 위해
불행한 길을 달린다는데

그건 아마도 지금 이순간의 나와
먼 훗날의 나를 따로 떼어놓고
생각하기 때문은 아닐까.

힘들다는 생각 힘들다는 말 하지 말고
감사하다는 생각 감사의 말 많이 해야지.

힘들다는 생각은 더 힘든 일을 만들고
감사의 마음은 더 감사한 일을 생기게 하지.

그것이 하늘의 섭리이고
천지의 이치니까.

2024년 원미동에서
김서영

1부
저편의 세계

7부
인연나무 가꾸기

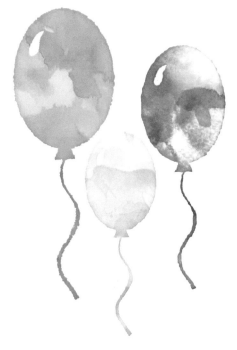

1부

저편의 세계

1. 아름다운 이별

오늘은 지난 책에서 썼던 강초라는 이름을 가진 환자가
몇 년 후 꿈에 나오신 얘기를 해보겠습니다.

저는 환자를 부를 때 이름 뒤에 엄마를 붙입니다.
"강초엄마"하면 엄마는 환히 웃으십니다.
"이름을 불러주니 참 좋다"하시면서.

엄마는 시장에서 순대 국밥집을 하시고 계셨지요.
이른 아침 가게 앞을 지나며 "강초엄마" 하면
한손은 왼쪽 다리를 짚고 오른손은 흔들며 반가워 하셨죠.

때론 엄마를 안아 보기도 하고
때론 엄마 손을 만지기도 하며
우린 환자와 의사가 아닌 엄마와 딸처럼 세월을 보냈습니다.

그러던 초가을 어느 날부터 엄마와의 아침인사는
순대 국밥집 2층의 엄마 방이 되었지요.

굽은 허리는 누워서도 펴지지 않아
늘 옆으로 누워 제 손을 만지작거리며 말씀하셨죠.

"호박은 늙으면 맛이라도 있는디
사람 늙으니 쓸모가 없구먼.

원장은 늙지 말어.
이대로 이쁘게 살어."

엄마의 눈에는 이슬이 맺히셨습니다.
그 눈물의 의미가 느껴졌기에 마음에 걸려
점심시간에 다시 엄마를 찾아 갔습니다.

엄마와의 작별 시간이 머지않았음을 알았기에
마음의 위안이 되기를 바라며
주사도 놔드리고 영양제도 놔 드렸었죠.

그런 날들이 지나고
길가의 나무들도 겨울을 준비하던 늦가을
강초엄마는 하늘가는 사다리에 오르셨습니다.

엄마와의 이별 9년6개월이 지난 엇 그제
꿈속에서 엄마를 만났습니다.

시장에서 순대국밥을 파시는 엄마를 보고
반가워 "강초엄마" 하고 부르자
긴 나무 의자를 가리키며 거기 앉으라고 하시더군요.

평소 먹던 식으로 고기는 넣지 않고 순대만 듬뿍 넣어
들깨가루와 깻잎을 얹어 한 그릇 가득 내어 주시며
"이게 마지막 장사여. 어여 먹고 잘 살아야해"

"엄마 어디가?"
"그래"

그리고 잠에서 깨었습니다.

이른 아침 엄마가 하시던 순대 국밥집으로 갔죠.
강초엄마 딸이 엄마처럼 장사 준비를 하고 있었습니다.

간밤 꿈 얘기를 했더니
이번 윤달에 여기 계시는 엄마를 고향으로 이장하려고
날 잡아놨는데 엄마가 원장님한테 작별 인사하러
왔나 보다고 하더군요.

더 신기한 것은
강초엄마와 친하게 지냈던 이웃 분 꿈에도 나타나셔서
이사 간다고 잘 살라고 하셨다는 겁니다.

강초엄마는 9년6개월이 지난 지금
인연 깊었던 사람들 꿈에 나타나 작별인사를 하신건가 봅니다.

부디 모든 인연 놓으시고
좋은 곳으로 가시기를 기원 드리며
오늘 제 인생노트에 아름다운 작별을 적어봅니다.

2. 정신자리를 내어준 아들

조금 전에 단골 환자인 자명엄마가 황급히 저를 찾아 왔네요.

자명엄마의 사연을 익히 알고 있기에
또 일 터졌냐고 했더니 아들이 또 일을 저질렀다고
가슴을 치시며 속상해 했습니다.

자명엄마는 아들이 사고를 치면 저에게 달려와
하소연하며 울고 가곤 합니다.

이렇게 통곡 할 때는 어떤 말도 위로가 되지 않기 때문에
그저 안아주면서 맘만 함께하죠.

자명엄마 아들은 나이가 40이 넘었지만 가정도 안 꾸리고
술에 취해 살면서 가끔 막노동을 하며 살고 있죠.

평소에는 효자이면서 예의도 바릅니다.
그런데 가끔 눈이 휙 돌아가면
전혀 다른 사람이 되어 행동을 하죠.

자명 엄마의 말에 의하면
귀신이 씌웠다고 했습니다.

모 스님 말에 의하면
친한 형님의 지배를 받고 있다고 합니다.

그 형님이라는 사람은
자명엄마 아들과 둘도 없이 친했는데
부인과 다툰 후 술을 마시고 스스로 목숨을 끊었다고 합니다.

술김에 목숨을 끊어서 귀신들이 사는 세상에 머물며
본인이 애착하던 동생에게 나타났다
사라지기를 반복하는 것 같다더군요.

자명엄마의 아들이 저지른 사건 두 가지를
얘기해 볼까 합니다.

첫 번째 사건
일 년 쯤 전 일입니다.
자명엄마 아들 방에서
대화하는 소리가 들리더랍니다.

"예 형님! 제가 곧 따라 가겠습니다."
"예 형님! 조금만 기다리십시오."

그러더니 아들이 밖으로 나갔다가
검정 비닐봉투를 들고 들어오더랍니다.

다시 방에서 대화하는 소리가 났답니다.
"예 형님 이것 마시고 곧 가겠습니다."

자명엄마는 아들이 술을 사가지고 와서
전화를 하는 줄 알았답니다.

그런데 조금 있다가 비명소리가 들려서 방으로 들어갔더니
아들이 목을 잡고 뒹굴고 있더래요

염산을 사다 마신 것이었습니다.
마시다 제정신이 들었는지 죽을 정도는 마시지 않아
입과 식도 손상으로 한 달을 입원해 있었지요.

아들이 입원해 있을 때도
속이 터져 살수가 없다며 울던 자명엄마의
어깨가 유난히도 작게 느껴져 가슴이 짠했었지요.

자명엄마 아들이 어제 또 사고를 쳤습니다.

아들 방에서 대화 하는 소리가 들렸답니다.
"예 형님! 알겠습니다.
싹 다 정리해서 보내 드리겠습니다."
그러더니 집 밖으로 나가더랍니다.

시간이 얼마쯤 지나 경찰에서 연락이 왔답니다.

자명엄마 아들이 집 앞에 세워 있는 오토바이에 신나를 붓고
불을 지르다가 이웃의 신고로 경찰서에 연행되었던 겁니다.

경찰서에 진술 내용인 즉은
형님이 오토바이 보내 달라고 해서 불을 질렀다고 하더랍니다.

그런데 신기한 것은
그 형님이라는 사람이 살아생전 오토바이를 아주 좋아했다고 합니
다.
조금 좋아하는 것이 아니라 오토바이 사는 것에 목숨을 걸었다는
군요.

아마도 중음계를 떠돌면서도 오토바이에 대한 집착을
놓지 못했었나 봅니다.

오늘은 중음계를 떠도는 영체도 가엾지만
전생 무슨 인연인지 자식 때문에 맘 편히 잠을 이루지 못하고
새벽부터 달려온 자명엄마가 제 맘을 아리게 합니다.

중음계:귀신들이 사는 세상중의 하나

3. 인디언 할머니

볼리비아 내란으로 전 세계 뉴스를 장식했던 시절
거기에 있었습니다.

제가 머물렀던 곳은
신흥 도시여서 고산지대였지만 하늘은 푸르고
아침 공기는 정신을 놓을 만큼 상쾌했죠.

푸른 하늘을 보면 하늘 사다리 타고 올라가고 싶었고
청량한 아침 공기를 맡으면 너무 좋아
머리에 꽃 꽂고 뛰어 다니고 싶을 정도였죠.

우리 말에
좋아 죽겠다 이뻐 죽겠다.라는 말이 있는데
사람 감정이 좋은 쪽이든 나쁜 쪽이든 중도에서
많이 벗어나면 죽음과 연관이 되는 것 같습니다.

그래서 음양화평지인이
가장 건강한 사람이라고 하나 봅니다.

제가 머물었던 마을에서는
매주 수요일이면 새벽부터 12시까지

마을길 양옆에 새벽장이 열렸습니다.

원주민들이 산에서 따오거나
직접 재배한 각종 채소와 과일들로 장이 이루어졌죠.

함께 지내고 있던 전도사님과 둘이서
장을 봐 놓으면 남자 선생님들이 와서 들고 가고
저는 아침 상쾌한 공기가 아까워
들이쉰 숨 내 쉴 수 있음에 감사하며 주변을 돌곤 했습니다.

원주민 할머니를 만난 그날도
하늘이 유난히 파랬습니다.

저는 장이 열린 길 끝까지 갔다가 돌아오려는데
새벽 장마당 맨 끝에 할머니 한분이 앉아계셨습니다.

머리는 양 갈래로 따서 끝에는
노랑색과 붉은색의 실을 꼰 끈으로 묶고
산에서 주은 나무로 만든 지팡이를 가지고 계셨는데
그 지팡이는 오랫동안 사용한 흔적으로 매끈했습니다.

저는 할머니 앞에 다가가서
아침인사를 건넸었죠.

할머니는 굽은 허리를 일으켜 서시더니
제 손을 잡고 길 옆으로 가셨습니다.

그곳은 흙으로 된 땅이 조금 있었는데

거기 멈추시더니 땅바닥에 지팡이로 건물을 그리고

건물 귀퉁이에 숨어서 고개를 내민 사람을 그렸습니다.
그리고 그 숨어있는 사람주변을 타원형의 원을 그렸습니다.

그런데 신기하게도 그 타원형의 시작점과 끝점에
우리가 흔히 그림에서 보는 천사의 모습을
자그마하게 그리는 겁니다.

그리고 타원형의 원을 지팡이로 짚은 후
천사의 모습을 가리켰습니다.
다른 손으로 저를 가리켰습니다.

저는 할머니의 그림과 지팡이의 가리킴 뜻을
알았기에 놀랐습니다.

내란이 있던 당시

모든 시민들 그리고 특히 외국인들은 절대 집에서
나오지 말라는 권고가 있었는데 강제성보다는
각자의 안전은 자신이 지키라는 뜻이었습니다.

모든 상가와 마트들도 다 철문을 내렸고
길거리에는 아무도 없었습니다. (전쟁을 하는 사람들을 제외하고)

저는 현장 르뽀 기자처럼 전도사님과 다른 분들 눈을 피해
집을 나가 내란의 현장을 건물 모퉁이에 숨어서 지켜봤습니다.

바윗돌이 바리케이트가 되고
곡괭이 도끼 등 농기구가 무기가 되어 싸움은 격렬했습니다.

길거리의 차는 도끼로 유리창이 깨지고 다 찍히고
누구든 눈에 띄면 달려들었습니다.
외국인은 협상을 위해 인질로 잡아갔고요.

건물 모퉁이에 있을 때
무리의 원주민들이 낫과 쇠스랑을 들고 제 옆을 휙 지나갔었는데
저를 보지 못한 것처럼 헤치거나 잡아가지를 않았었거든요

아~
그때 있었던 사건을 할머니는 영으로 보셨고
그림으로 그리셨던 겁니다.
그때 저를 보호해준 그 힘이
천사의 보호였음을 그리셨던 것이고요.

생사에 애착이 없다고 스스로를 생각하며 살아왔었지만
무기를 든 원주민들이 옆으로 지나갈 때
진땀이 쫙 나서 다리 힘이 풀렸었거든요.

겨우 기운을 내어 집으로 들어가서
전도사님한테 무척 혼이 났던 기억이 지금도 생생합니다.

그리고 더 신기한 일은
인디언 할머니가 새를 한 마리 그리고
그새가 날아서 들판을 거쳐
집으로 들어가 새장 안으로 스스로 들어가는 그림을

그리시면서 저를 가리켰습니다.

저는 할머니를 보며 고개를 저었고
할머니는 주름진 미소로 새장안의 새를 지팡이로
가리켰었죠.

평생을 외국을 떠돌며 살아가리라 마음먹었건만
볼리비아를 마지막으로 나에게 더 이상의
유랑은 허락되질 않았고 한국이라는 새장 속에서
20년을 스스로 갇혀 지내고 있습니다.

물론 내가 택한 길이고
이 새장속의 삶 또한 내 아름다운 삶이고
고귀하고 소중한 삶이기에
감사하며 살아갑니다.

4. 남편에게 꽃을 받은 여인

아침 바람이 차게 느껴집니다.
인적 없는 골목과 엉기성기 얽힌
전기 줄 사이로 비치는 해뜨기 전의
동녘 하늘은 아름답습니다.

시절은 봄이건만
봄을 잃어버린 봄날
그래도 희망은 놓지 않아야겠다는
마음으로 출근을 했습니다.

오늘은 중국의 한 여인에 대해 적어볼까 합니다.
두만강 근처 계산툰이라는 곳에서 만난 여인의 얘기입니다.

미국에 있다가 중국의 한 병원과 연계되어
생전 처음 공산국가인 중국 땅에 발을 디뎠습니다.

그 당시 제가 가 있던 병원에서 떠도는 얘기가 있었죠.
의사들도 미스터리로 생각되는 사건들이 자주 일어난다고
했습니다.

그 사연인 즉은
병원에서 놓친 병명을 계산툰에 사는 아줌마가 찾아내고
입원해 있는 사람에게 와서 풀뿌리를 갈아서 먹였는데
갑자기 좋아져서 퇴원했다는 등 믿기 어려운 얘기들이었습니다.

다른 곳에서 들었으면
헛소문이라고 무시 했을 터인데 의사들에게서 그런 얘기를 들으니
궁금해서 가만히 있을 수가 없었습니다.

바로 그녀를 찾아 나섰지요.

기차를 타고 계산툰이라는 곳에 도착해서
특수 공능자 (미래를 맞추는 시험을 거쳐 그런 칭호를 준다고 합
니다)
집을 물었더니 철길 건너 작은 집을 알려주더군요.

시골의 아주 작은 집 툇마루에는
이미 많은 사람들이 순서를 기다리고 앉아 있었고
건넌방에서는 치료를 위해 사람들이 누워 있었습니다.

내 차례가 되었고
그녀는 내게 물었습니다.
"왜 왔니?"

저는 그녀의 눈을 바라보았습니다.
그녀의 정신은 이 세상에 있질 않은 눈이었습니다.

초점 없는 그녀의 눈을 보자 짠한 마음이 들어

가슴이 아리고 안스러웠지만
목소리를 가다듬어 답했습니다.

특수 공능자가 어떻게 되었는지 그게 궁금해서 왔다고.

그녀는 그런걸 알려고 먼 곳을 왔냐면서
고개를 갸웃거리며 나를 보더니
옆에 앉아서 보좌를 하는 사람을 쳐다봤습니다.

옆에 있던 분에게 얘기 해주라는 뜻인 듯했습니다.

사연인 즉
남편이 갑자기 죽고
먹고 살길이 없어서 식당에서 일을 하며 연명을 하였는데
사는 것이 너무 힘들어서 아이와 함께 죽을 생각만 하고
있었답니다.

남편한테 자신 좀 데려가라고 매일 밤 울면서 애원하다
지쳐서 잠이 들곤 했답니다.

그러던 어느 날
남편이 꿈속에 나타나서 빨간색 커다란 꽃을 주면서
"이것으로 먹고 살아라" 하더랍니다.
그리고 옆에 있는 아들에게는 노란색 작은 꽃을 주더랍니다.

그 꿈을 꾼 다음날 일터인 식당엘 가 있는데
밥 먹으러 오는 손님 몸이 훤히 보이더래요.

처음에는 헛것이 보이는 줄 알고 무시했는데
모두 보이는 것이 아니고 아픈 사람의 병소만 보이더랍니다.

그래서 그것을 알려주었는데
처음에는 많은 오해를 샀다고 합니다.

멀쩡한 사람에게 다가가서 손가락으로 쿡쿡 찌르면서
여기 병이 있으니 가서 검사해봐라.

그리고 처방이 입에서 술술 나왔다고 합니다.

시간이 지나면서 그 식당은
병을 보러 오는 사람으로 가득했고

그녀는 문맹이라 글씨를 쓸 수 없었기에 식당 사장이
처방을 적어 환자에게 주었다고 합니다.

그 후로 나라에서 실시하는 특수공능시험에 합격을 했고
개인집에서 손님을 받게 되었는데

병원에서도 놓친 환자의 병을 찾아내는 경우가
아주 많았다고 합니다(이것은 병원에서도 들은 소문과 일치했습니다)

그뿐 아니라
남편에게 노란 꽃을 받은 어린 아들도 신기(神氣가) 발동해서

아침에 눈 비비며 일어나면서

"오늘은 소 잃어버린 사람이 누가 가져 갔나 물으러 올 것이다
"
라고 말하면 딱 그런 사람이 오더래요.

또 다음날은 깡충거리며 골목에서 놀다가
"오늘은 애기 잃어버린 사람이 올꺼야"하면
또 그런 사람이 오구요.

모자지간에 한꺼번에 신이 들어 온 것이지요.
중국에서는 따로 신 내림 같은 형식은 없고
나라에서 능력을 테스트하여 특수 공능자라는
칭호를 내린다더군요.

세월이 흐르면서 붉고 큰 꽃을 받은 엄마는
끝까지 특수공능자의 일을 하고 있었고

아들은 커가면서 神氣가 떨어져서
일반 청년으로 살아가고 있었습니다.

그 특수 공능자가 행했던 신비한 얘기는 너무 많아
지금 다 적을 수는 없고

특수 공능자가 제게 말하더군요.

"이제 그만 돌아다녀."(당시 저는 외국으로 돌아다니고 있었거든
요)
이렇게 평생 살 것이라고 말했더니

그녀가 다시 입을 열었습니다.

손가락 3개를 펴면서
"세 나라를 거치면 넌 니 나라로 갈꺼야."
 저는 그녀를 보며 답했죠.
"아니, 난 이렇게 살 거야."
그녀는 고개를 살살 흔들더군요.

그리고 하얀 종이를 접어주면서
"이걸 가지고 다니다가
당신 나라로 가서
내말이 맞았다고 생각되거든
그때 이걸 태워버려."

그리고 세월이 흘러
정말 세 곳의 나라를 거쳐서 한국 땅에 왔고
정착을 해서 이렇게 살아가고 있습니다.

그녀의 예언이 맞는 건지
내가 그녀의 예언에 맞춰 사는 건지 알 수 없지만
우리가 알고 있는 이 세상 저편에도 그 어떤 세상이
있는 것 같습니다.

5. 청춘남녀의 혼

초인간적 또는 초자연적 능력의 발휘 주체로 여겨지는 존재가
신(神) 이라고 사전에 나와 있습니다.

오늘은
제가 경험한 얘기를 적어볼까 합니다.

어릴 적 꿈이 공기 좋은 곳에 양로원을 지어
어르신들과 사는 것이었죠.

대학교 다닐 때 경기도 남양주에 있는
천마산 뒷 줄기 황유골이라는 골 깊은 곳에
땅을 마련하여 작은 움막으로 거처를 마련하고
방학 때면 거기서 공부를 하곤 했습니다.

산 밑에 텃밭을 가꾸던 동네 어르신들은
해가 지기 전에 그곳을 내려가곤 하셨는데
그 이유는 나중에 알고 보니 골짜기의 기운이 쎄서
해지기전에 내려가셨더군요.

어느 여름 토요일 밤
공부를 하다 잠깐 눈을 붙였는데

비몽사몽간에 남녀 한 쌍이 손을 꼭 붙들고
내가 터를 잡은 땅을 빙빙 돌다가
골짜기를 날라 다니고 있었습니다.

놀라 깨어서 주기도문도 외우고
십자가도 긋고 성경책도 품고
기도하며 그렇게 그 밤을 하얗게 보냈습니다.

통이 트자마자 서울로 갈 생각을 하다가
그냥 머물기로 맘을 먹었습니다.

그리고 일요일 날밤 일찍 잠이 들었는데
지난밤에 본 그 남녀 한 쌍을 또 보게 되었습니다.
둘이서 손을 꼭 잡고 골짜기를 날아다니는 꿈을 꾸었습니다.

그 다음날은
미리 성경책 위에 십자가도 올려놓고

귀신은 복숭아나무를 무서워 한다는
옛날이야기가 생각나
복숭아나무 가지도 꺾어다 놓고
누워 있는데 잠이 오지를 않았습니다.

오늘밤에도 나타나면 나한테 뭔가 할 말이 있는 것이리라는
생각이 들었습니다.
그러자 맘이 조금은 (아주 조금)편해졌는지
잠이 들었습니다.

그날 밤에도 똑같이 남녀 처녀 총각이 춤을 추고 골짜기를 따라
우리 땅위로 날아다녔습니다.

너울너울 춤추며 다니는 그들을 불렀더니
십자가가 있어도 복숭아나무가 붙어 있어도
내 방으로 들어와 날아다녔습니다.
내방은 크지 않는데 이상하게 그들은 날아다니더라고요.

저는 기독교 모태신앙이었고 대학시절 불교를 접한 상태여서
종교의 편협이 깨어져 가는 과정이었는데
귀신 꿈은 처음이었습니다.

하여튼 그 두 청춘 남녀는 아무 말도 하지 않고
방에서도 서로의 손을 꼭 잡고 놓지를 않고
천정으로 벽으로 붕 떠있었고 정착하질 않았습니다.

저는 그들에게 성경얘기도 했다가
불경 얘기도 했다가 온갖 종교 얘기를 다하면서

이생의 애착이 많아서 못 떠나고 있으니 애착을 버려야
당신들이 다음 생을 맞이할 수 있고
둘이서 좋은 인연으로 몸을 다시 받을 수 있다는 등
있는 말 없는 말 다하면서 그들을 밤새 설득했습니다.

온 힘을 다해 에너지를 퍼부으며 그들에게 얘기를 하였고
그들은 서남쪽 하늘로 날라 가면서 말없이 손을 흔드는 모습을 보
고
꿈에서 깨었을 때 이불과 옷 등 온몸에 땀이 범벅되어 있었죠.

그 이후로 그 남녀는 내 꿈에 나타나지를 않았습니다.

당시 대학생들이 명상을 하러 그곳엘 들리곤 했는데
다들 골짜기가 무섭다며 이 핑계 저 핑계 대면서
해지기전에 서울로 가고 나 홀로 남곤 했었죠.

그일 이후로 학생들도 무서운 기운이 없다면서
잔디밭에서 모포 깔고 별보며 밤새 명상도 하곤 했습니다.

지금도 주말엔 그곳을 가곤 하는데
서쪽 하늘 바라보며 그 옛날을 회상 하곤 합니다.

**그일 후에 동네 어르신에게 들은 얘기에 의하면
아랫마을 총각하고 산에 움막 집 짓고 땔 나무 해서
마을에 파는 나무꾼 딸하고 정분이 났는데
남자 집에서 반대를 해서 둘이서 산속에서
이승을 저버렸다는 이야기가 전해온다고 했습니다. **

6. 가마솥 밥

제가 잘 알고 있는 환자의 얘기입니다.
사람들은 그녀를 방보살이라 부릅니다.

방보살은 신내림까지 받았기 때문에
신령한 기운이 있어서인지 천도제가 아주 많이 들어옵니다.

하루는 신도할아버지 49제가 있어서 스님이 천도문을 읽으시고
방보살도 옆에서 기도를 하고 있는데

재단 앞에서 할아버지 한 분이 가마솥을 껴안고 웅크리고
앉아 계시는 것이 보이더랍니다.

본인이 잠시 졸았나 싶어서
눈을 비비고 다시 기도를 하는데 똑같은 모습이 또 보이기에

그 가마솥 놓고 얼른 가셔요 라고 조용히 말했는데
그 소리가 컸던지 뒤에서 합장하고 있던 가족들이 웅성거려
본인도 깜짝 놀랐었답니다.

스님의 헛기침 소리로 다시 조용해져서
천도제를 무사히 마쳤답니다.

잠시 후 영가 가족들이 식사를 할 때
할아버지가 가마솥을 껴안고 떠나질 않는 걸 봤다고 했더니

가족들 중 큰딸이 말하길
"아버지가 병석에 누우셔서 아무것도 드시지 못했는데

마지막 소원이
옛날 가마솥으로 한 하얀 쌀밥을 먹으면
기운을 차릴 것 같다고 하셨다고 하셨습니다.

아버지는 대장장이가 직접 만든 옛날 그 가마솥을 말씀하셔서
그 가마솥을 구하는데 시간이 걸렸었고

그 가마솥은 아버지가 돌아가신 후에   도착했습니다.
그래서 마지막 소원을 못 들어 드렸습니다." 라고 하더랍니다.

그 말을 듣고 영단 앞에 가서 다시 기도를 하며
다음 기일에 가마솥에 밥을 해서 드릴테니
얼른 인연 길에 드십시오. 라고 말했더니

흐뭇한 미소를 지으시는 모습이 보이더랍니다.

7. 장군 神 모시는 여인

저희 병원에는 이상하게 종교인들이 많이 오시고
저는 그 모든 분들과 아주 친밀한 관계에 있습니다.

목사님들 스님들 신을 모시는 분들 등등

신을 모시는 분들은 눈빛이 남다른데
그 눈빛으로 어떤 신을 모시는지 알 수 있죠.

이분은 할머니신이구나.
이분은 동자신이구나
이분은 할아버지신이구나
이분은 장군신이구나.

물론 그 기운의 강도도 알 수 있구요.

하루는 이목구비 뚜렷하고
키도 늘씬한 40대 여인이 들어오는데
눈빛이 예사롭지를 않았습니다.
힘도 있고, 탁하지도 않더군요.

진찰실에서 진료를 마치고 난후 사적인 말을 꺼냈습니다.

"주로 어느 산에 가서 기도하남?"
"제가 산에 기도하러 가는 것을 어떻게 아세요?"
"장군님 모시제?"
"어떻게 아세요?"
이렇게 인연이 시작 되었고

그녀의 이름은 소영이인데
저는 그녀에게 영아라고 불렀습니다.

그녀는 신기가 대단히 강했으며
매번 큰 굿을 2박3일 집에서 하는데
소한마리 돼 지두세마리가 트럭으로 들어간다는 겁니다.

그녀에게 딸린 신딸들이 수도 없이 많고
그들이 다 모인다고 합니다.

그런데도 동네 한복판에 자리한 그녀의 집을
소음으로 신고한 사람이 없다고 하더군요.
소영이가 신을 모시게 된 사연부터 얘기를 하겠습니다.

이 이야기는 소영이 엄마에게 들은 사연입니다.

소영이 부모님은 큰 식당을 했는데 장사가 잘되어서
돈을 많이 모았었답니다.

그런데 사업하는 사람에게 거액을 빌려줬는데
그 사람이 도망을 가버렸답니다.

받을 길이 없어서 식당에 자주 오는 무당에게 물었더니
산 기도를 함께 가서 기도를 하자고 하더랍니다.
가서 기도를 하면 받을 수 있을 거라고 했답니다.

답답한 마음에 그렇게 하겠다고 약속한 시간이 다 되어 가는데
갑자기 단체 손님이 몰려 들어와서
가지 못하게 되었답니다.

그러고 부모님은 산 기도는 생각할 겨를 없이 손님을 치르고 있는
데
그 무당한테서 다급하게 전화가 와서 하는 말이

큰일 났다고 얼른 어디 어디로 오라고 하더랍니다.

사연인즉,
무당이 기도하러 산에 간다고 하니까
소영이가 "바람 쐴 겸 내가 갈까" 하면서 따라 나섰답니다.

산에 도착해서
이런 저런 준비를 마친 후 기도를 드리고 있는데
소영이가 갑자기 꽝 하고 넘어지더니
금방 아무 일 없었다는 듯 벌떡 일어나서

옆에서 기도하는 무당들 하나하나를 손가락으로 가르치면서
큰소리로 음성도 우렁차게
"너는 기도도 안하고 벌써 다 떠난 신을 빙자해서
사람들을 속여 먹고 살고 있고"

"너는 신령스런 산에 오면서
잡것 먹고 잡 짓하고 오고."
 "너는 뒤에 숨겨놓은 기둥서방
그거 버려야 니 신이 다시 올꺼고"..등등

거기에 기도하러 모인 사람들을
가리키며 호통을 치고 있어서
그걸 말리려 해도 힘이 장사여서 아무도 말리지 못하고
신당이 난리가 났으니 얼른 와서 데리고 가라고 하더랍니다.

소영이 엄마와 아버지가 산으로 가서 영아를 데리고 왔고
그 뒤로 계속 몸이 아프다고 누워만 있더랍니다.

병원에 데리고 가서 검사를 해도
모두가 정상이고 결론은 신병이라 하더래요.

귀신을 쫓는 굿을 해야 한다고 해서
굿을 했는데도 여전히 아파서 일어나질 못하더랍니다.

결국은 큰 무당을 불러서 큰 굿을 하게 되었고
굿판이 한창 무르익어 갈 즈음에

소영이가 벌떡 일어나서 맨발로 작두 위를 올라가서
춤을 추더랍니다.

작두위에서 팔짝 팔짝 뛰면서
"내가 왔다 내가 왔어. 다 물렀거라.
너는 감히 내 앞에서 고개를 뻣뻣하게 들고 있느냐?

라고 하면서 굿 해주러 온 무당들에게 호통을 치더랍니다.

소영이 엄마 말에 의하면
신을 때어내는 굿을 하다가 더 큰 신이 들어와 버렸고
소영이는 그 힘든 무당의 길로 접어들어 버렸다고 합니다.

엄마의 가슴은 무너지고
식구들 모두가 쉬쉬 했지만

그 신기가 대단해서
소문은 퍼지고 퍼져서 많은 사람들이 몰려들었고
손님이 문전성시를 이루었다고 합니다.

이상은 소영엄마의 증언이었습니다.

8. 붉은 빛으로 온 신

지금부터는 소영이가 들려준 이야기입니다.

소영이 말에 의하면
놀러가는 마음으로 산에 따라 갔는데
징도 치고 북도 치고 굿을 하고 있더랍니다.

처음에는 재미있게 보다가
같이 간 분들이 기도를 해서 두 손을 모으고
따라 하고 있는데

자기 몸 반쪽은 불이 데 듯 뜨겁고
한쪽은 얼음 속 에 있는 듯 차가와 지더래요.

앗 뜨거. 앗 차가와 하면서
고개를 들어 하늘을 보는 순간

산꼭대기에서 도포를 입고 하얀 머리를 뒤로 틀어 올리고
입술은 샛 빨간색의 할아버지가 보이더니 그 할아버지 뒤에서
붉은색 띤 황금빛이 강하게 퍼져 자신의 몸을 덮친 후 정신을 잃
었고

그 뒤에 본인이 어떤 말을 했고
어떤 행동을 했는지 전혀 기억이 없었답니다.

산에서 내려와 다른 사람들의 입을 통해 본인이 했던
행동을 들었다더군요.

그 후 몸이 여기 저기 아픈 것 뿐 아니라
두 다리로 혼자서는 일어 설 수가 없더랍니다.

그래서 신병을 치료하기 위해 온갖 방법을
다 취해봤고 마지막에 신병 치료를 위한 굿을 하는데

갑옷을 입고 칼을 찬 장군 복장의 모습이 나타났는데
옆에 군복을 입은 5세 정도의 아이가 장군 바지가랑이를
잡고 있더랍니다.

그 후 본인이 어떤 말을 했고
어떤 행동을 했는지 기억이 없었다고 하더군요.

제가 신을 받아보지 않아서 잘은 모르겠지만
몇몇 신 받은 분들 경험의 공통점은
강력한 신 내림이 있을 때는 무아지경이 되는 것 같더라구요.

근데 소영의 증언에 의하면
신 내림을 받은 후 장군님만 들어오는 게 아니라
할아버지도 들어오시고
동자도 들어오고 하더랍니다.

당시 사람이 앞에 와서 앉아 있으면
그 사람이 묻지 않아도 뭘 물으러 왔는지까지
자기도 모르게 입에서 술술 나오더랍니다.

본인도 무슨 말을 하는지 몰라서
옆에 사람을 두고 소영이가 하는 말을 적게 했는데
개인의 숨기고 싶은 얘기를 다 파헤치고 있더랍니다.

처음에는 소영이의 말에 부부 싸움도 일어나고
이혼하네. 죽이네. 살리네.
연인사이에 이별도 생기는 등
의도치 않은 일들을 많이 겪었다더군요.

그 후로 부부일지라도, 연인일지라도
두 사람이 같이 방에 들어오는 것을 막기
위해 기다리는 방을 따로 만들어
법당에서 하는 얘기가 들리지 않게 했답니다.

소영이의 무당 생활은 승승장구 하였고
많은 얘기들을 남겼지만
내 정신이 아닌 신의 정신으로 사는 삶이
어찌 편안하겠습니까.

소영이와 환자와 의사로
인연을 맺은 지도 15년의 세월이 흘렀고
그녀를 보면 늘 가슴 한 편이 아리고 짠합니다.

소영이가 오면 저는 두 팔을 벌립니다.

그녀도 두 팔을 벌리고 서로를 꼬~옥 안습니다.

"힘들지. 힘들어도 우리 이번 생에 업 다 씻자
빚 다 갚자."

그러면 그녀는 고개를 들어 천정을 보며 말합니다.
"씨~~난 안 우는데. 절대 울지 않는데.
언니한테만 오면 눈물이 나오려해.
갈래." 하며 진료실문을 나섭니다.

저는 그녀의 등 뒤에 한마디 덧붙이죠.
"소영아! 사랑해"
그녀는 뒤를 돌아보지 않은 채 답합니다.
"나두..."

먼 먼 옛날 그녀와 나는 어느 별에서 어떤 모습이었을까

9. 산골짜기 암자에서 생긴 일

환자로 온 한 여인의 신들린 얘기입니다.
그녀의 이름은 수덕이기에
저는 그녀를 수덕엄마라 부르지요.

수덕 엄마가 처음 우리 병원에 들어설 때의
눈빛은 지금도 잊혀 지지가 않습니다.

카리스마 넘치는 그런 모습은 아니고
맑지도 않고 그렇다고 아주 탁하지도 않고

눈동자는 과할만큼 번뜩이고 있었는데
웃을 때는 아주 순둥이 같다가
또 다른 면은 험악한 기운이 도는 눈빛이었습니다.

표현하자면
제련되지 않은 철광석 같았고
가까이 하기 쉽지 않은 그런 기운이었죠.

분명 신을 모시고 있고
그 신은 남정네 신으로 느껴졌습니다.

진찰을 하고 약 처방을 내린 후
"엄마! 혈압 한번 재 드릴께."하면서
자연스럽게 손을 잡고 대화가 시작되었습니다.
"엄마! 산기도 많이 가시죠?"

"원장이 그걸 우찌 아노?"

"그러게요. 우찌 아는지는 모르겠는데 그런 것 같네요."

"참, 별난 원장 다 보겄네.
그래, 이전에는 산으로 많이 돌아 다녔제.
근데, 이리 다리가 아파 이젠 몬간다."

"그럼 집에서 기도 하시겠네요?"

"그래. 집에서 한다. 우째 한번 와 볼라꼬?"

"예 한번 가보고 싶네요. "

"그럼 여기서 나가면 건널목 있고
그 건널목 지나서 올라오면 오른쪽에 가게가 있다.
그 건물 2층 오면 대문 두개 있고 오른쪽 문이다.
항상 열려 있데이."

우리는 오랫동안 만난 사이처럼 친밀해졌고
수덕 엄마는 의자에서 힘들게
몸을 일으키며 말했습니다.

"이 자리에 터를 잡은 인간이 누군가 궁금해서 와 봤더구만,

몸둥아리는 바람에 날아가게 생겨가지고
이 억센 터를 누르고 앉아 있는걸 보니
참 신기 하데이.

다른 사람만 치료하지 말고
원장 몸도 챙기그라."

"고마워요 엄마! 내 한번 놀러 갈께요."

며칠 후 점심시간에 병원에 들어온 과일 한 상자를 들고
엄마를 찾아갔습니다.

"참말로 왔네."
"엄마 집 구경 좀 하려고"라고 답했더니
"봐라 뭐 볼게 있것노.
여기 부처님 모신 곳이다."하고 재단을 안내 했습니다.

저는 서서 합장을 한 후
엄마와 마주 앉아 엄마의 사연을 들었습니다.

수덕엄마는 독실한 불교 신자여서
전국의 크고 작은 사찰을 돌아다니면서 기도를 했다고 합니다.

어느 날 큰 절에서 만난 보살의 소개로
강원도 고성 산속의 작은 암자에 머물면서 기도를 하셨대요.

당시 주인은 몸이 아파서 집으로 내려가 버려서
수덕엄마 홀로였고, 하루는 기도를 하는데
온몸에 벌이 쏘이듯 따가워서 견딜 수가 없더랍니다.

엄마는 개울로 달려가 옷 입은 채로 물에 뛰어 들었고
따가움이 가라앉는듯하여 개울가 바위에 앉아 있는데
냉기 서린 뭔가가 휘~~이익 하고 엄마를 감싸고돌더랍니다.

그 일이 있은 후 평소 마시지 못하는 술이 마시고 싶어
견딜 수가 없더래요.

그래서 산길을 내려가 소주 대병을 사가지고 올라와서
병 채로 들이마셔도 취하지를 않더랍니다.

기도로 이겨보려고 애를 써 봐도 되질 않고
술을 구해 마시고 또 마셔도 취하지가 않더래요.

그렇게 지내다보니 술병이 쌓여가는 것을 보고
이러면 안 되겠다 싶어서
암자를 떠나 집으로 왔답니다.

집에 들어와서
남편을 보니까 그 옆에 못생긴 여자가 붙어 있더래요

눈을 비비고 다시 봤더니 여자얼굴이 사라졌다가
또 옆에서 팔짱을 끼고 서 있는 모습이 보이더랍니다.
술이 안 깼나 싶어서 혼잣말로 "웬 년이 보이고 그래" 하고 넘겼
답니다.

저녁이 되어 잠자리에 들었다가
화장실 가려고 일어났더니 남편 옆에 그 못생긴 여자가
바짝 붙어 누워 있더래요.

술을 마신 것 도 아닌데 이상하다 싶어서
남편을 깨워 다그쳐 물었답니다.

"코는 납작하니 눈은 실처럼 가늘고 머리는 잔등까지 내려온
 여자가 당신 옆에 붙어살고 있다. 우찌 된 일이고?"
라고 했더니

남편이 그 모습 다시 말해보라 하더래요.
수자 엄마가 보이는 데로 얘기를 했더니

남편이 고개를 푹~~숙이며 말하더랍니다.

"젊은 시절 옆 동네 못생긴 처자가 본인 때문에
상사병에 걸려 아무것도 먹지 않다가
스스로 목숨을 끊은 일이 있는데
지금 당신이 말한 모습과 똑 같다"고 하더랍니다.

수덕엄마는 재단을 쌓고
천도 기도를 해주기로 하였는데
기도를 아무리 해도 그 처자는 남편 곁에서 떨어지려
하질 않더랍니다.

그래서 하루는 소주 한 박스를 다 마시고
그 처자를 불러서 단판을 지었답니다.

"이번 생에는 인연이 어찌 되었든 나하고 이렇게 살고 있는데
다음 생에는 당신이 가져라.

그리고 지금은 새끼들 때문에 어쩔 수 없으니
저기 저 종이쪽지 즉 호적에만 내가 있으니

당신이 계속 귀신으로 붙어살든지
다른 몸 받아서 다음 생이 인연 맺어 살든지 맘대로 해라."

그렇게 말하고   잠이 들었는데
일어나 보니 남편 옆에 그 처자가 보이질 않더랍니다.

수덕엄마 말대로 그 처자는 이승의 애착을 놓고
다음 생을 기약하며 인연 길에 오른 걸까요.
아님 저 하늘에 어느 별이 되어 있을까요

10. 남정네가 된 여인

수덕 엄마와의 인연 이후로 엄마의 남편도 제 단골 환자가 되었고
남편을 통해 엄마의 신이 들어온 후 생활을 자세히 들을 수 있었
지요

이전의 수덕엄마는 반찬도 잘하고 남편과 사이도
좋았다고 합니다.
그런데 산기도 후 집으로 돌아온 수덕엄마는
밥도 안하고 청소도 안하고 빨래도 안하고

완전 머슴아 인양 다리 딱 벌리고 앉아
술 사오라고 소리를 버럭 버럭 지르면
그 목소리가 어찌나 크던지 옆에서 뛰어 올 정도였답니다.

소주 한 두병이 아니라 박스로 가져다 놔야
잠잠해지고 아빠 눈앞에서 소주 한 상자를
물마시듯 다 마셔도 멀쩡하더랍니다.

또한 시장 통을 걸어 다니면서
가게 임대라고 써 놓은 것을 보면
"이거 아무리 열심히 써 붙여 놔봐라 지금은 안 나간다.
넉 달 후 초 엿 세나 되어야 임자 나올 거다."

또 개업 금방 한 가게 앞에서
"우야노. 니 아무리 그리 해봐도 반년 안가서
또 문 닫을 꺼다. 니 지난번에도 넉 달 만에 문 닫고 이리 왔제?"
라고 말하니 개업한 사장이 기분이 나빠서
싸움도 벌어지기도 했답니다.

더 재미 있는 것은
길가는 이쁜 아가씨만 보면
가던 길 멈추고 "야 고것 참 이쁘데이" 라고 하면서
눈을 못 때더랍니다.

길가는 잘 생긴 남자를 보면
남자새끼가 기생오라비처럼 생겨가지고.
저 꼬라지 좀 봐라 엉덩이 씰룩 씰룩한 짓거리 좀 봐라.
라고 말하며 온갖 흠은 다 잡아 내더래요.

여기서 수덕엄마 남편도 평범한 분은 아닌 듯 싶었는데,
아니나 다를까 아빠네 가족력을 보면
할머니가 신을 모신 집안이었습니다.

그래서 아빠도 그런(신의세계)쪽을 잘 알고 있던 터라
수덕엄마가 술을 잔뜩 마시고 마루에 큰 大자로 쩍 벌리고
배를 북~ 북~ 긁으면서 누워있어서 물었답니다.

"야. 넌 누꼬(누구냐) 니 술주정뱅이가?"
그러자 수덕엄마 입에서 웬 남정네 소리가 나오더랍니다.

"나는 나무꾼이다. 왜 잠자는데 귀찮게 하나?"

"나무꾼이면 나무나 하지 와 여기 와서 술 쳐 마시고 자빠졌노?"

"시끄럽다.나는 여기 살꺼다"
그 말을 마지막으로 말을 걸어도 아무 댓 구가 없더랍니다.

그리고 수덕엄마가 잠에서 깨어났고
남편이 말했답니다.
"니한테 귀신이 붙었다
나무꾼 놈 귀신이다."

수덕 엄마는 수긍도 부정도 하지 않았으며
그렇다고 신 내림을 받지도 않고 신을 내보내지도 않고

그렇게 살고 있는데

수덕 엄마의 성격이 완전히 달라져서
남편이 무척 힘들어 하고 있었습니다.

남편이 주부가 되고 수덕엄마는 남자처럼
술 마시고 큰 소리 치며 살고 있었습니다.

수덕 엄마가 대학병원엘 가도 남자의사한테는 성질부리며 툭툭거리고
여자의사한테는 웃으면서 대답도 잘하고 고분고분 하답니다.

그리고 우리 병원에 다녀가서도

남편한테 입에 침이 마르게 칭찬을 하더랍니다.

제가 여자여서인지 하여튼
그 이후로 수덕엄마 부부와의 인연은 계속 되었고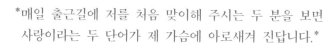
지금도 계속되고 있지요.

*매일 출근길에 저를 처음 맞이해 주시는 두 분을 보면
 사랑이라는 두 단어가 제 가슴에 아로새겨 진답니다.*

11. 우연인 듯 필연인 듯

서울근교
마을에서 열린 봉사활동에 참여하였습니다.

버스 종점에서 진흙탕 길을 20분쯤 걸어
논과 야산을 거쳐 들어가면
두 마을 사이에 논이 있었습니다.

그곳은 그린벨트지역이었고
마을전체는 무허가 건물들이었죠.

밤에 후다닥 방을 하나 만들어 놓으면
동사무소에서 나와서 바로 부쉈습니다.

짓고 허물고가 반복되는 마을.
그 안에서 자라나고 있던 아이들.

중학교를 제대로 졸업하기도 힘든 분위기의 청소년들은
시내 학교 근처에서는 불량아들로 통했습니다.

마을 옆 야산은 청소년들의 뽄드 흡입 장소였고
그들이 버린 뽄드 묻은 검정비닐들이
바람을 타고 이리 저리 날아다녔죠.

부모님들은 대부분 근처 벽돌공장엘 다녔고
아빠는 벽돌을 찍고 엄마는 벽돌을 날랐습니다.

어린 아이들은 보호를 받지 못하고
아빠 엄마를 따라가서 쌓아 놓은 벽돌사이를
위험천만하게 뛰놀고 있었고요.

그때 저를 감싸고도는 강한 에너지가 있어
어지러워 눈을 감았는데.

쌓아놓은 벽돌들이 와르르 무너지고
아이들의 살려달라며 손짓하는 그런 환상이었죠.

저는 봉사대원들에게 자리 비우겠다고 말하고
버스종점으로 달려갔습니다.

종점 옆 복덕방으로 가서
비어 있는 집을 구했더니
다행히 당장 들어갈 수 있는 집이 있었습니다.

다음날 계약금 가지고 오겠다고 약속을 하고
가 계약금 3만원을 걸었습니다.(지갑에 있는 전부)

당시 그 집이 어찌 생겼는지
궁금하지도 않았고 단지 내일이라도 들어갈 수 있다는
그 조건 하나로 가계약을 했었죠.
좋아도 무허가요
나빠도 무허가였기 때문에

단지 비바람만 막을 수 있으면 된다고 생각 했으니까요.

당시 제가 그곳에 터를 잡겠다고 하자
젊은 아가씨가 그런 곳에 들어간다는 건
무리라고 모두들 반대 했습니다.

하지만 거부할 수 없는 에너지의 이끌림으로
개울가 무허가 건물을 얻어서
무료 어린이집을 열었죠.

그 소문은 버스종점까지 퍼져
많이 아이들이 모여들었습니다.

당시는 어린이집이라는 개념이
지금처럼 자리하지 않았었고
유치원만 있었기에

일반인들이 아이를 유치원에 보
내는 것은
경제적 부담 때문에 힘들었죠.

저는 본 전공 이외 유아교육도 전공했었고
몬테소리교육 초창기 멤버였습니다.

당시 몬테소리 교육은 학습 도구가
독일 수입품이어서 가격이 엄청났기에
선교원을 하던 선배 언니의 도움으로
교구 하나씩 빌려다 그 모양대로

목공소에서 잘라 와서 아이들과 색칠도 하고
붙이기도 하였습니다.

교육 도구를 아이들과 직접 만들었기에
아이들은 더 흥미로워 했으며

당시 접근이 어려운 몬테소리 교육을 하며
함께 웃고 떠들며 지냈습니다.

그러던 어느 날
동사무소에서 철거반이 찾아왔습니다.

아이들이 뛰놀 공간을 앞마당에
비닐과 보온 덮개로 만들어 사용 중이었는데

항공사진에 그것이 찍혔다고
허물어야 한다고 했습니다.

제가 사정을 하자
아이들이 따라 나와 아저씨들을
애원하듯 바라보았습니다.

동사무소 직원은 한숨을 푹 쉬더니
파란 풀을 베어다 지붕에 얹어서
항공사진에 나오지 않게 하라고 알려주고 가시더군요.

"아~파란 풀
근데 저 넓은 지붕을 어떻게 풀을 베어다

덮는단 말인가. "

사실 저 혼자서는 현실적으로 불가능한 방법을
알려준 것이었습니다.

그런데 기적이 일어났습니다.

다음날 일반인들이 칭하는
불량 청소년(?)들 대장의 지휘아래
논둑과 산을 헤매어 풀을 베어 왔습니다.

아래서는 베어온 풀을 던져 올리고
한명이 지붕으로 올라가
편편히 펴서 덮기 시작했죠.

한나절이 지나자
비닐하우스는 푸른 지붕으로 변했습니다.

자물쇠통으로 꽁꽁 잠그지 않으면
남아 있는 것이 없다는 마을인데

어린이집은 문을 잠그지 않아도
없어지는 물건 하나 없었고

그 청소년들은 아이들 보살핌을 돕기도 했고
밤이면 뒷동산이 아닌 어린이집으로 몰려들었죠.
매일 매일 기적 같은 일들이 일어났습니다.

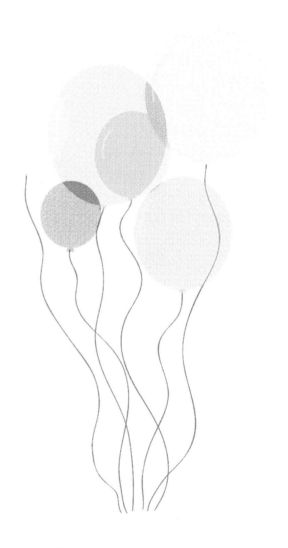

12. 나의 천사들

동녘하늘 물들기 전에 집을 나섰습니다.

어둑한 거리 가로등불 사이로
꽃비가 내렸습니다.

영원함은 없다는 진리를 알지만
고운 꽃잎은 나무에 영원히 머물렀으면
하는 마음이 들더군요.

우연인 듯 필연인 듯의 연속편입니다.

기적의 시작은 이러했습니다.

어린이집에는 우물도 수도도 없었습니다.
마당 끝으로 이어지는 산 밑에 작은 옹달샘이 있었고
그곳에서 물을 길러다 밥 짓고 반찬도 하고
빨래는 옹달샘에서 했었지요.

어느 날 저녁 무렵에 물을 기르러 가는데
개울 끝 수풀에서 바스락 바스락 소리가 났습니다.
멈췄다 나고, 또 멈췄다 나고.

저는 물을 길러다 부엌에 놓고
빨래 줄을 궤 놓았던 장대를 들고
수플로 갔습니다.

들짐승인가 싶어 긴장대로 수플을 젖혔더니
그곳엔 아이 둘이 앉아 있었습니다.

어슴푸레해서 자세히는 보이지 않았지만
아이들의 손엔 검정 비닐이 들려져 있었지요.

뻔드를 비닐에 부어 얼굴을 묻고
들숨 날숨 하고 있었던 겁니다.

아직 어두워지지 않았던 시간이라
아이들이 그 일을 시작한지 얼마 되지 않아 보였습니다.

아이들은 저를 보자 황급히 수플 속을 뛰었지만
개울에 빠지고 말았죠.

저는 장대를 세로로 세우며 말했습니다.

애들아. 누나 따라와.
왜요? 라고 큰아이가 묻더군요.

옷 젖었잖아. 그대로 들어가면 엄마한테 혼 날 테니
좀 있다가 들어가.
그리고 니들 밥도 안 먹었지?
누나가 라면 끓여 줄께 따라와.

큰아이가 고개 짓을 하자
작은 아이도 저를 따라왔습니다.

젖은 옷을 수건으로 눌러 물기를 닦아주고
라면을 끓여 먹였습니다.

그날 저는 아이들에게 아무것도 묻지 않았고
아이들은 라면만 먹고 돌아갔었죠.

물론 아이들 뒷그림자에 말했죠.
"라면 먹고 싶으면 언제라도 와"

아이들은 아무 대답도 하지 않았고
뒤 돌아 보지도 않고 논둑길을 따라 사라졌습니다.

그리고 어린이집에 할일이 많아
정신없이 지내고 있었는데
동사무소에서 비닐하우스를 부수러 왔었고

그때 라면을 먹고 간 큰아이가 주축이 되어
비닐하우스 지붕을 푸르게 만들어 준 것이었습니다.

저는 불량청소년(?)이었던 아이들 이름을 부르지 않고
새로 이름을 지어주었죠

"애들아..
내가 부르는 너희들 이름은 내가 짓는다.
첫째... 넌 대장천사

둘째... 넌 둘째천사
세째... 넌 셋째천사
네째.. 넌 넷째천사
막내... 넌 막내천사"

아이들은 "에이 천사는 무슨."
하면서 머리를 긁적였습니다.

"나한테 너희들은 천사야.
그러니까 대답을 하든지 안하든지 맘대로 하고. "

"대장천사- 오늘 너는 보조 교사로 임명한다.
누나가 화장실 정리하는 동안 동생들 하는 거
잘 봐주고."

"둘째천사 셋째 천사는 풀 좀 베어와라"

"비가 와서 화장실에 물이 가득차서
동생들이 응가하면 튀어 오르니까
풀을 좀 넣어 주자."

나의 천사들은 신이 나서 동생들이 편히
지낼 수 있게 저를 도왔습니다.

일요일에는 아이들 먹을거리를 사러
시장엘 가야 했습니다.

어린이집은 종점에서 내려 20분 이상을 걸어야 했기에

많은 짐을 한꺼번에 들수가 없었죠.

짐 보따리를 왕복 달리기처럼
눈에 보일만큼 가져다 놓고
또 가져다놓곤 했었지요.

그런데 천사들을 만날 때면
저의 양 팔은 호강을 하였습니다.

가벼운 짐만 들고 서로 장난을 치며
소풍 나온 것처럼 먼지 길을 달리곤 했죠.

그렇게 길을 가다 어르신들을 만나면
"일동 인사"라고 제가 구령을 붙이면
천사들은 큰소리로 "안녕하세요."를 외쳤고
동네 어르신들도 처음에는 어리둥절 하셨죠.

나의 천사들은 날마다 기적을 만들어냈습니다.
어르신들도 버릇없는 놈들이라는 인식을
조금씩 바꿔 나가셨고요.

대장천사는 검정고시를 준비하였고
학원에도 열심히 다녔습니다.

둘째천사는
그럴 형편이 되질 않아
공장에 가서 기술을 배우고 있었고요.
세째 네째 막내는 학교를 열심히 다니기

시작했습니다.

물론 시간만 되면
어린이 집으로 모여 들었었죠.

13. 아픈 이별

우리 천사들과 아이들의 웃음소리
동산과 동네에 울려 퍼진지
3년이 지난 어느 날

멈출 것 같지 않던 우리의 행복 열차는
멈추고 말았습니다.

3년 반전 보았던 환상.
아이들이 벽돌 틈에서 구해달라며
손을 뻗던 그 장면.

그때 그런 일이 일어나지 않게 하려고
어린이 집을 차렸건만

한 아이의 파리한 얼굴
파랗게 질린 입술.

그때 보았던 그 환상이
현실이 되어 제 앞에서 일어나고 말았습니다.

너무나 착하고 예뻤던 현수

조금 모자란 친구 손을 놓지 않고
등원과 하원을 도왔던 아이

하는 행동 하나 하나가 너무 예뻐
양 볼을 잡고 콧등을 부비부비 해주면
씨~~익 웃던 아이.
그 아이가
쓰러져 생사를 넘나들고 있었습니다.

현수의 소식을 듣고
달려갔을 때
아이는 파리한 얼굴로
제품에 안겨서 겨우겨우 속삭였었죠.

"선생님 사랑해요"
"그래 나도 우리 현수 사랑한다 하늘 땅 만큼"
그것이 현수와의 마지막 인사였죠.

환상 속에 미리 보여 주셨는데도
저는 아이를 지켜주지 못했던 겁니다.

지켜주지 못한 미안한 마음은
입맛도 사라져 겨우 연명할 정도로 먹고 마시며
숱한 밤을 하얗게 지새우게 했습니다.

아파도 시간은 흘러갔고
고운 단풍이 현수의 작은 몸 위에 쌓이고
그 위에 하얀 눈꽃 슬프게 나릴 무렵

현수가
꿈속에 나타났습니다.

분홍빛 드레스에 발레 신발을 신고
복사꽃빛 얼굴로
환하게 웃으며 "빠이빠이"라며
손을 흔들었습니다.

현수야..현수야..
소리쳐 불러 보았지만
대답 없이 미소만 짓고 손을 흔들며
하늘 향해 날아올라갔습니다.

저는 꿈속에서도 아프게 현수를 보냈는데
그 이후로 음식 맛도 조금씩 살아났고
밤이면 잠을 이룰 수 있었습니다.

흔히 말하기를
세월 지우개는 지우지 못하는 게 없다지만
세월 지우개로 지워지지 않는 아픈 이별도 있더군요.

세월은 흘러 강산이 몇 번 바뀐 지금도
가슴 한 편엔 현수의 자리가
아픔으로 숨 쉬고 있습니다.

14. 한 아이의 어린 시절

하령이라는 아가씨의 어린 시절의 얘기를 해보겠습니다.

아이는 기억이 없는데 엄마에게서 들은 얘기랍니다.
아이나이 3살 때 일이랍니다.

할머니와 엄마가 함께 밭일을 가시면
아이를 데리고 가서 망태기에 앉혀놓고
돌멩이 몇 개 풀 한줌 넣어주면 온종일
혼자 말하며 놀았다고 합니다.

그해는 가뭄이 심했기에 양동이로 물을 길러다
채소밭에 주고 있었는데 아이가 망태기에서 뛰어 나오더니
하늘을 가리키며 풀잎을 뿌리더랍니다.

그러면서 "엄마 비 온다 집에 가자"하며 엄마 손을 이끌더래요.

하늘엔 해가 쨍쨍했기에 아이를 다시 망태기에 넣어놓고
물을 주기 시작한지 얼마 안 되어 소낙비가 쏟아지더니

저녁까지 비가 와서 낮에 물 줬던 일이
헛일이 되었다고 합니다.

또 하루는 망태기에서 놀던 아이가

파란 배추벌레를 손바닥에 올려놓고
할머니에게 달려가서 하늘에 던지며 말하더랍니다.

"애비.무섭다..많다 많다. "
그런데 그해 온 마을에 벌레가 숱하게 생겨서

벌레 잡느라고 어린아이들까지 밭으로 나가야 했다고 합니다.

당시에는 농약이 귀했던 시절이었기에 벌레가 많아지면
농사를 망쳤다고 합니다.

아이가 자라면서 이상한 말을 하는 횟수가 줄어들었고
결국엔 거의 사라져갔습니다.

왜일까요?
세상의 생각들은 구름이 되어 파란 하늘을
가리고 또 가려워 가는 건 아닐까 싶습니다.

본래의 모습은 구름 한 점 없는
파란하늘이었는데 말입니다

15. 하얗게 세운 밤들

밤이면 밤마다 엄마를 부르는 아이의 애절한 목소리에
엄마는 피를 말리 우며 살아온 세월 수 삼년
엄마의 가슴 피멍은 종교를 초월해 전국을 헤매었죠.

가족들은 이제 그만 잊으라고
잊어야 한다 말하지만
엄마의 가슴무덤은 세월 따라 더 커져갔습니다.

옆에 있었다면
중학생이 되었을 딸아이지만
엄마안의 아이는 아직도 5살 이었습니다.

5살 아이는
밤마다 엄마를 찾아와
간절하게 엄마를 불렀습니다.

엄마는 아이가 어디엔가 살아서
엄마를 찾고 있거나 다른 사람에 의해 피해를 당해
그 한을 풀어달라고 엄마를 부른다고 생각을 했습니다.

또한 어느 예언가와 무당은 살아있다고 하고

또 다른 곳에서는 이 세상 아이가 아니다 하고

가는 곳마다 말이 달랐기에 엄마는 더 포기 할 수가 없었습니다.

애절한 모정은 전국을 떠돌다
철마산 기도하는 골짜기에 인연하였고
밤새운 기도는 새벽녘까지 계속 되었습니다.
2박 3일의 기도라고 했습니다.

꿈은 예지 몽도 있지만
개인생각의 반영인 경우가 아주 많습니다.

최근에 강력하게 입력된 생각의 반영일 수도 있고
숙생 동안 쌓아온 무의식의 반영일 수도 있겠지요.

그래서 꿈이 현실에서 꼭 다 맞지는 않는 것 같습니다.

꿈의 속성을 이해하시고
꿈 얘기를 읽어 주시기 바랍니다.

애절한 모녀의 사연을 들은 날 밤
꿈을 꾸었습니다.

갈대가 듬성듬성 있는
엷은 황토물이 얕은 곳에 흐르고

가운데 깊이 파인 곳에서는
맑은 물이 흐르는 내림천이 보였습니다.

곰 인형 하나가 물위에 떠있었고
저는 그 곰 인형을 건지러 물속으로 들어갔죠.

곰 인형을 들고 나오려는데
엷은 분홍색에 잔잔한 꽃무늬의 천이 보였습니다.

그쪽으로 다가가자 머리를 두 갈래로 딴
여자 아이가 반듯이 누워 있었습니다.

아이를 안아 내림 천 둑으로 나와 눕히니
아이가 누운 상태에서 말을 하였습니다.

"내가 놀다가 인형을 놓쳐서
그 인형을 잡으러 물에 들어갔다가 물에 빠졌어요."

"나를 누가 데려간 것도 아니고
물에 밀어 넣은 것이 아니니까
우리 엄마에게 꼭 그렇게 전해 주세요."라고

그리고 잠에서 깨었는데 그때의 느낌은
숙제 하나를 받은 기분이 들었습니다.

산골짜기의 새벽바람은 제법 차가웠지만
산길을 올라 기도하는 곳으로 갔죠.

기도는 마무리 되어 갔고
사람들은 짐을 챙기고 있었습니다.

난 조심스럽게 얘기를 꺼냈습니다.

이상하게 들릴지 모르지만
꿈 얘기 하나 해주러 왔다고 했더니

한 여인이 퀭한 눈을 껌벅이며
제게 시선을 주며 들을 준비를 하였고
난 간밤 꿈 얘기를 자세히 해 주었죠.

꿈 얘기를 듣더니
여인이 눈물을 글썽이며 제 손을 덥석 잡았습니다.

곰 인형과 원피스 색깔이 아이를 잃어버렸을 때
모습이었기 때문이었습니다.

여인은 아이의 엄마였고요.

저는 그 여인과 많은 얘기를 나누었습니다.
그리고 그녀의 손을 잡고 위로의 말을 해주었죠.

꼭 다시 그 딸이 올 것이라고.
그때 그 딸을 잘 키우라고.

그 여인은 아이의 생사를 확인한 것만으로도
이젠 숨을 쉬고 살아 갈 수 있다고 했습니다.

그리고 딸이 다시 자신에게 올수 있다는 말을
믿고 힘내서 살아가겠다고 하더군요.

그리고 기도처를 내려오는데
사랑 한다 너 없이는 살수 없노라 라는
애절한 사랑노래가 머리에서 가슴으로 내려왔습니다.

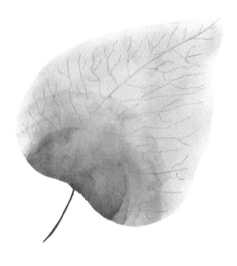

16. 내려 놓음

한낮의 태양이 대지를 태울 기세로 뜨겁던 어느 날
수덕사 염화선실에서 혜암 큰스님 곁에 있을 때 일입니다.

산부인과 의사 선생님이 큰스님을 친견하러 왔었죠.
그분의 모습은 많이 지쳐 있었습니다.

불교인이 아니었지만 마음이 너무 힘들어
신부님들도 찾아다니고 목사님도 찾아다녔다고 했습니다.

그러다 큰스님께 가보라는 지인의 얘기를 듣고
왔다더군요.

어느 날 의사선생님 꿈에 남자 어린애가 나타나
손과 발을 비비면서
"제발 살려 달라"고 애원을 하더래요.

다음날 낮에 한 여고생과 엄마가 찾아와서
낙태수술을 해달라고 하더랍니다.

아직 학생인지라 수술을 안 할 수 없어서
찝찝한 마음으로 수술을 했다고 합니다.

그리고 그날 밤 꿈에 다시 남자 아이가 나타나서

"내가 그렇게 살려달라고 했는데 나를 죽였어"
하면서 아이가 눈에서 붉은 피를 흘리면서 노려보더랍니다.

그 이후
수술실만 들어가면 그 아이의 피눈물 흘리는
눈이 떠올라 낙태수술뿐 아니라, 다른 수술도
할 수가 없게 되었다고 했습니다.

큰 스님께서는 의사선생님의 사연을 다 들으신 후
한마디를 하시더군요.

방하착 하시게. 방하착(放下着)

제가 옆에서 들어도 그 방하착이라는 단어는 울림이 있었습니다.

귓전에 들리는 소리가 아닌
가슴속 깊이 파고드는 살아있는 소리였지요.

의사선생님의 눈이 붉어지더니
고개를 떨구었습니다.

숨소리조차 내기 힘들만큼의 정적의 시간
의사선생님의 꿇은 무릎위로 회한서린 눈물방울이
뚝. 뚝 .뚝 떨어지더니 양 어깨를 들썩이며 흐느꼈습니다.

방하착.

내려놓기. 무엇을 내려놓아야 하는지를
그 의사선생님은 가슴으로 느끼신 듯 했습니다.

그렇게 숨죽인 시간이 얼마쯤 흘렀을까.

흐느낌을 깨시는 큰스님의 다음 말씀.
"그 아이는 여기다 두고 가시게."

"내가 그 아이를 맡음세."
"그리고 앞으로는 살리는 업만 하시게."

의사선생님이 염화선실을 나가시고.
두 시자스님은 옆방으로 가시고

큰스님께서는 다른 신도의 친견을 마무리 하신 후
눈을 감으시고 소리 없는 혼잣말을 계속 하셨습니다.

저는 큰스님 곁에서 아이를 위해
기도를 하였습니다.

시간이 얼마나 흘렀을까
천사 옷을 입은 아이가
수덕사 꼭대기 정혜사를 한 바퀴 돌고
하늘을 향해 날아가는 환상이 보였습니다.

선법 문중에서는 이런 환상 같은 것을
경계하기에 저는 아무 말도 하지 않았지요.
그런데 너무 신기하게도 그 환상을 본 후

큰스님께서도 눈을 뜨셨습니다.

그리고 한 말씀 하시더군요.
"그 '상'마저 내려놓는 것이 선문중의 법도니라."

방하착(放下着). 내려놓음.

세상을 살면서 가장 필요한 단어이지만
실행하기 가장 힘든 단어인 것 같습니다.

가지면 가질수록 허기지고
내려놓으면 내려놓을수록 편하다는 걸 알지만
세상살이 하는 게 그리 쉽지가 않는 것 같습니다.

행복을 추구하면 불행도 함께 오고.
안정을 추구하면 불안도 함께 오는 걸

머리로는 아는데 가슴까지 내려오지가 않기에
내려놓지 못하고 허덕이면서 살고 있습니다.

17. 영체들의 이야기

한 다리 건너면 아는 사이가 우리나라 현실이듯
의사들 세계는 더욱 더 그렇습니다.

한 다리 건너로 알고 있는 의사의 실제 이야기입니다.

주인공을 가칭 닥터김이라 칭하겠습니다.
닥터김은 집안 좋은 아가씨와
선을 봐서 결혼을 하였답니다.

결혼식을 성대히 마치고 신혼여행을 가서
첫날밤 부부의 연을 맺으려 하는데
해부학 공부할 때 봤던 시체가 누워있더래요

너무 놀라서 눈을 비비고 다시 봤는데
역시 침대에 시체가 누워 있답니다.
그래서 첫날밤 부부의 연을 맺지 못하고
그냥 보냈답니다.

그 다음날 밤.
다시 부부 인연을 맺으려 할 때마다

신부가 시체로 보이더랍니다.

닥터김은 첫날밤도 치르지 못한 채 신혼여행을 마치고
신혼집으로 돌아와서 밤을 맞이했습니다.

집에서는 괜찮겠지 싶었지만
부부인연을 맺으려 할 때마다
신부가 시체로 보이더래요.

그렇게 부부인연을 맺지 못하고 살고 있었는데
결국 닥터김 부모님도 그 사실을 알게 되었고
어머니가 용하다는 점집을 찾아갔는데요.

점술사가 신을 부르는 의식을 치르더니
눈이 휙 돌아가고 목소리가 달라지면서 말하더래요.

"신부 집안에 때죽음 당한 영가들이 있구먼
그 영가들이 저승으로 못가고 신부한테 붙어있어. "

그 말을 듣고 설마 하면서도 사실을 알아봤더니

결혼식 치르기 얼마 전에 신부 가족들이 차를 타고
집안 잔치에 다녀오다가 교통사고가 났더랍니다.

가파른 산길에서 탑승가족 전부 유명을 달리했더래요

아무런 준비 없이 갑자기 죽었으니 스스로 죽음을

받아들이지 못하고 가족들 곁을 떠나지 못하고
있다는 것이 점술사의 얘기였답니다.

우리가 지금 살고 있는 세상이 돌아가는
것에는 현실계의 기운뿐 아니라
영계의 기운도 많이 작용한다고 합니다.

그 영계라 하면 귀신의 세계인 중음계부터
천상계의 세계까지 포함되어 있다고 하죠.

손뼉도 마주쳐야 소리가 나듯
영계와 이승의 에너지가 맞아야 하나가 된다고 합니다.

좋은 것 을 많이 보고 생각하고 행동하면
천상계의 에너지와 닿게 되고

부정적인 생각과 행동은 음의 세계 에너지와
하나가 된다고 하더군요.

우리가 살아가는 매 순간의 생각과 행동들은
안이비설신의(眼耳鼻舌身意)는 무의식 창고에 저장된다죠.

전생에 내가 생각하고 행한 것들이 이번생의 나를 형성하고
현생에 지은 모든 것들이 다음생의 나를 만든다고 합니다.

오늘 이 순간.
나의 안.이.비.설.신.의가 어디에 있는가에 따라

천상의 기운을 받기도하고
지옥의 기운을 받기도 하구요.

인간세계에 뿌리하고 살아가지만
진흙 속에서도 물들지 않는 연꽃처럼
살아가기를 소원하며
미지의 세계를 적어 봤습니다.

18. 굿판

엄마가 보고 싶은 마음 간절해
늦은 시각 황유골에 도착했을 때
기도발 잘 받는다는 골짜기엔 벌써
꽹과리 징소리가 요란했습니다.

아래 민박에는 교회에서 수련회를 왔다며
찬송가 소리가 밤새 골짜기에 울려 퍼지고
덩달아 백구도 소리 높여 짖어댔고.
덕분에 밤새 한숨도 못자고 날이 밝아 버렸지요.

풀 벌래 소리와 휘영청 밝은 달빛에 취해
잠 못 이뤘던 시절은 사라진지 오래되어 버린 골짜기였습니다.

환경에 적응이 빨라야 정신과 신세 안진다고 누가 말했듯
난 가끔씩 무당들과 재미난 얘기를 나눈터라
어제 밤은 또 무슨 한 풀이를 했나 궁금하여
굿판이 벌어졌던 곳을 향해 발길을 옮겼습니다.

간밤엔 장가 못가고 죽은 시동생의 혼을 위로해 주기 위해
형과 형수가 정성을 들이는 굿이었다고 하더군요.

세상살이 얽히고설킨 한이 얼마나 깊기에
이승을 떠나지 못하고 신들린 사람을 통해 한풀이를 하는 건지,

아님 살아 있는 사람들 스스로가 위로를 받고 싶은 건지
알 수는 없지만 골짜기엔 심심치 않게 굿판이 벌어집니다.

굿판.
사람들은 무당 굿하는 곳 근처만 가도 무서워 하지만
저는 재미있어 가끔 그들에게 가서 많은 얘기를 나누곤 하죠.

이런 저런 세상 돌아가는 얘기를 하다보면
정신과 공부할 때 들음직한 얘기들도 많고

우리가 사는 이곳의 가장 힘든 일들을
그들 입을 통해 들을 수 있죠.

굿판을 차리고 굿을 하는 사람들은 현실의 문제점을
신의 세계의 원인으로 여기고 신들에게서 해결되길 바라고
정성을 들이기 때문에 시대의 흐름까지 담겨져 있습니다.

세월 따라 고민거리도 달라지고, 풀리지 않는 일들을 귀신에
의지하는 마음이야 오죽하겠습니까만

좀 더 밝은 신을 향해 기도하며 마음을 다스러 보면
더 좋을 텐데 하는 생각을 하며 골짜기를 내려왔습니다.

19. 빗속의 어르신

어둠이 깔린 골목 새벽바람이
억수로 불고 비가 퍼부었습니다.

걸어서 출구 하는걸 아는 가족들이
오늘만은 택시를 타고 가라고 하더군요.

환경이 험할수록 그걸 뚫고 나가려는 성격 탓으로
비옷을 입고 우산은 머리만 바치고 비바람 속을
뚫고 걸었습니다.

어두운 골목길에 들어서자 할머니 한분이
어르신 유모차를 끌고 우산도 없이 걸어가시고 계셨습니다.

저는 달려가서 우산을 씌워드리며
이렇게 이른 새벽에 우산도 없이 어딜 가시냐고 물었죠.

할머니는 말없이 손가락으로 연립주택 방향을
가리키셨습니다.
저는 할머니가 가리킨 곳을 보며 "저기 어디요? "하는데
할머니가 보이지 않았습니다.

어르신 유모차에 의지하여 절뚝거리시며 걸으셨는데
금방 어디로 사라지셨을까 찾아봤지만
거리는 아무도 없었고 거센 비바람만 몰아쳤습니다.

아주 가끔 느끼는 일이기에 순간 생각했습니다.
할머니 한분이 이승에서 떠나지 못하고 계시다고.

저는 그 자리에서 할머니가 가리키셨던 연립주택들을
바라보며 기도를 해드렸습니다.

"이제 이승의 애착 버리시라고.
늙고 병든 몸 벗어 버리시고 새 몸 받으시라고."

그리고 어제 퇴근길에도 그 길을 돌며 할머니를 위해
기도를 하였습니다.

할머니는 어디서 오셔서 어디로 가셨을까요.

2부
다른 별에 살았을 때

1. 전생을 보시는 스님

내가 알고 지내는 분들 중에 정신세계에서
대단하신 분들이 많으십니다.

원인 없는 결과는 없듯이

지금 내가 하고 있는 생각하나 말 한마디 행동 하나 하나는
무의식으로 저장 되어 다음 생을 준비하고 있는 것이라고 합니다.

그래서 현생을 보면 전생을 알 수 있고
다음생도 알 수 있다는 말이 있는 것 같습니다.

우리가 살고 있는 이번 생이
전생의 악업을 소멸시킬 수도 있고

또 다음 생을 위한 선업을 쌓을 수도 있는
소중한 나날들이라는 생각을 하면서 이야기를 시작해보겠습니다.

대학을 졸업하던 해에 봉사를 하며 평생을 살겠다는 생각으로
음성 꽃동네를 찾아갔습니다.

지금 모습의 음성꽃동네가 아닌
마을에 초가집 몇 채를 터전으로

몇 명의 남자 봉사원과 두 명의 여자 봉사원뿐 이었을 때죠.

꽃동네에 몸을 의탁하고 있던 여자 분은
중풍 걸린 할머니 한 분과

아빠가 누구인지 모르는 아이를 임신한
정신지체 아가씨뿐이었습니다.

그리고 남자 쪽에 몇 명 있었는데 남녀 구분
된 숙소여서 몇 분인지는 기억이 가물거리네요.

그리고 따로 떨어진 집에는
결핵환자들이 있었던 것으로 기억됩니다.

당시 나는 봉사를 하다가 수녀가 될 생각이었는데
몸이 많이 아파서 오후만 되면 일어날 수가 없이
깔아지곤 했습니다.

식은땀을 흘리면서 몸 지탱이 어려울 정도였습니다.
그래도 버티면서 그곳 생활에 적응해가고 있었는데
엄마가 찾아오셔서 집으로 돌아오게 되었죠.

집으로 돌아와 힘을 차리지 못하고
걷기도 힘들어 거의 누워서 지내던 어느 날 비몽사몽간에
하늘에서 "만법귀일 일귀하처."라는

음성이 울려 퍼지더니
태양이 빛을 발하고 거기에 금빛 찬란한
커다란 새가 날아가면서

"황금 새 등줄기 타고 날아가느니라."라는
음성이 울려 퍼지는 꿈을 꾸었습니다.

기독교 집안에서 자란 나에게
만법귀일 일귀하처는 고등학교 책에서 봤던
기억밖에 없었습니다.

그런데 꿈이 너무 생생하였습니다.

저는 뭔가에 이끌리듯 꿈에서 깨자마자 그길로
용산에 있는 시외버스 터미널로 달려갔습니다.

수덕사에 계시는 스님이 100세가 다 되어 가시는데
우리나라 최고의 선승이라는 얘기를 들어 알고 있었거든요.

그때는 수덕사까지 직접 가는 버스는 없었고
예산으로 가서 다시 덕산으로 가는 버스를 타고
수덕사를 가야 했습니다.

해가 서쪽으로 향할 무렵에야 비포장도로를 덜컹거리며
버스가 종점에 도착했죠.

고등학교 시절 수학여행을 제외하고는
난생 처음으로 사찰이라는 곳엘 가봤습니다.

어찌 왔느냐고 묻는 안내스님께
혜암 큰스님을 만나러 왔다고 했더니
안내를 해주시더군요.

염화실이라는 문패가 걸려 있는 방문 앞에 도착하자
비구니 스님이 나오셔서 어쩐 일로 왔냐고 물었습니다.

저는 혜암 큰스님을 뵙고자 왔노라고 했더니
안내를 해주셔서 방으로 들어갔습니다.

당시 두 비구니 스님께서 계셨고(효명스님과 진오스님)

큰스님께서는 좌식 의자에 몸을 기대어 앉아 계셨는데
자그마한 체구셨으며 아주 자상해 보이시더군요.

"어찌 왔는고?" 라고 큰스님께서 물으셨습니다.
저는 당돌하게 답했죠.

"세상 사는 것이 너무 힘듭니다. 참선을 해서
도를 깨달으면 이 세상에 태어나지 않을 수 있다하여
그게 참말인지 알고 싶어 왔습니다."

큰스님은 다시 물으셨습니다.
"그래 그걸 알면?"

저는 큰스님을 바라보며 답했습니다.
"열심히 공부해서 도를 깨달아 보려구요."

"그래. 그런 법도 있기는 하지" 라고 큰스님은
답해주셨고

저는 다시 되물었습니다.
"정말 그런 법이 있습니까?"

큰스님께서는 미소를 지으시면서 고개를 끄덕이셨습니다.

그렇게 큰스님과 얘기를 나누는데
양옆 두 비구니 스님도 미소를 짓고 계시더군요.

큰스님께서는 밥은 먹었는지 물으셨고,
비구니 스님들께 저에게 밥을 먹이라고 하셨습니다.

옆방으로 가서 밥을 먹고 있는데
또 다른 비구니 스님께서(송우스님) 오시더니

미소 머금은 가느다란 눈으로 바라보시더니
책 한권을 주시면서 경상도 사투리로 말씀 하셨습니다.

"야야. 그래도 일찍 왔구마.
오늘밤 이거나 읽어 보그라.

오늘 다 못 읽거든 집에 가지고 가서 읽그라.
그리고 거기에 나오는 인물 중에 니가 누군지 생각해 보그
라."

당시 스님께 받은 책 제목은

사명당대사였습니다.

책속에는 사명당대사 옆에서 왜군과 싸울 때
여러 인물들이 함께 했다고 적혀 있더군요.

그렇게 불교와 인연이 되어 화두를 받았고
화두를 붙들고 씨름 하다가 주말이 되면
수덕사로 달려가곤 했었습니다.

이 세상에 다시는 태어나지 않는 법이 있다는
그 사실만으로도 공부에 매진하고 또 했었지요.

그건 당시 이 세상사는 것이
그만큼 버거웠다는 의미이기도 했습니다.

철없이 사춘기도 모르고 학창시절을 보낼 때도
추운 겨울날 길가에서 노점상을 하는 귤 파는 아저씨의
언 손을 보면 가슴이 찢어지게 아파 괴로웠고

고물 줍는 아저씨를 봐도 왼쪽 가슴을 오려 내는 듯
아파서 힘들었습니다.

그 정도가 너무 심해서 엄마는 저를 데리고
예언의 은사를 받으신 제기동의 권사님을 찾아갔습니다.

권사님이 제 머리에 손을 얹고 기도를 하시더니
한없이 우시면서 기도 하셨습니다.
"착하고 착한 내 딸아 니가 이 일을 어찌

감당할까나 내가 너를 도우리라 내가
너를 도우리라"

그래서 수녀로 세상에 봉사하면서 살 생각을 하였는데
음성 꽃동네와의 인연은 멀어졌고

강원도 태백의 예수원에도 들어가 있었지만
오래 머물 수가 없어 방황을 많이 했었지요.

그런 과정을 거쳤기에 혜암 큰스님께 달려가는
그 길이 제게 있어 삶으로 향하는 길이 되었습니다.

큰스님께서는 그렇게 달려가는 저를
많이 애틋하게 지켜봐 주셨습니다.

몇 시간이고 손을 꼭 잡고 놓질 않으시며
아무 말 없이 저를 바라보시곤 하셨지요.

큰스님을 뵈러 오신 보살님들은
저를 보고 말씀하시곤 했습니다.

"아이고 아가씨는 전생에 무슨 복을 지어서
큰스님 손을 꼬~옥 붙들고 그리 앉아 있을 수 있는가."

그러면 비구니 스님께서 꼭 답을 하시곤 했습니다.
"다 전생의 인연이지요."

제가 큰스님께 다녔을 때

큰스님의 일반인 제자들이 참 많았습니다.
신기하게도 너무 많은 제자들이
사관학교를 졸업한 현역장교들이었죠.

그때는 이번 생 안 태어날 생각만 했지
전생에 대해서는 관심을 가지지 않았었고
스님들과 그런 대화를 나눈 적은 없었습니다.

그런데 전생을 보신다는 분이
수덕사 혜암 큰스님의 전생이 의병 대장이셨다는
얘기를 하셨다는 글을 보았습니다.

그 글을 보고
지난날들을 회상해 보니
모든 인연들이 연결되어 있다는 것을
세삼 느끼게 되어 글을 적어봅니다.

어쩌면 우리의 운명은 우리의 거룩한 삶인 것 같습니다.

2. 전생

잠시 쉬어가는 시간으로
오늘은 분위기를 바꾸어 제가 겪은 얘기를 써볼까 합니다.

신들의 세계를 추억하다 보니
조금 색다른 공기도 필요한 것 같아서입니다.

중국이 개방된 후 몇 년 지나서
미국에 교환 교수로 와있던 교수와 인연이 되어
중국엘 들어갔습니다.

당시 중국은 우리나라 60년대 그 모습이었습니다.

택시를 탔더니 문이 꽉 닫혀 지질 않아서
문이 닫히지 않는다고 했더니

기사 아저씨 왈:
문을 한손으로 잡고 한손은 의자를 잡으라더군요.

하여튼 병원과 관계되어 중국 땅에 발을 디딘 후
여러 차례 중국을 드나들었습니다.

어느 봄날
꽃구경을 시켜 주겠다는 병원 사람들을 따라
버스를 타고 어느 시골로 갔습니다.

산등성이에 배꽃이 만발한 시절은 봄인데
그 능선을 보자 마음은 늦가을 들풀이
죽어가는 시절 같았습니다.

덜컹 거리는 길을 따라 가다보니
산등성을 지나자 마을이 나왔습니다.

그 어떤 팻말도 붙어 있지 않은(보지 못했는지)
한 허름한 건물로 들어섰는데
먼지 자욱한 마루판이 먼저 눈에 들어왔습니다.

다른 사람들은 신발을 신고 들어가는데
저는 신발을 벗어야 될 것 같아 신발을 벗고 들어갔죠.

정면 벽에는 먼지 자욱하고 초라한 휘장이 걸려있었습니다.

양옆으로 창문이 있었고
붉은색 커튼이 철사 줄에 매달려 있었던 기억밖에는
지금 아무리 생각해도 다른 기억은 나지를 않습니다.

그 건물 안에 들어서자마자
눈물이 폭포수처럼 쏟아졌습니다.

처음에는 눈물만 흘러서 왜 이러지 싶어서 혼자 눈물을 닦다가

주최 할 수가 없이 흐르는 눈물과 참으려 해도 참을 수 없어
통곡하였습니다.

동행한 사람들이 놀라서
무슨 일이냐고 어디 아프냐고 왜 그러냐고
달래다가 이상하다는 듯 슬금슬금 밖으로 나가버렸습니다.

저는 너무 울어서 탈진이 될 정도였고
아무리 눈물을 그치려 해도 그쳐지질 않았습니다.

바닥에 엎드려 울다가 두 손으로 건물 안을 쓰다듬고 다녀
양손은 검정색 장갑을 낀 듯 까맣게 되어 있었죠.

밖에서 지켜보다 못한 일행들이 다시 들어와
저를 데리고 택시에 태워 숙소로 갔습니다.

숙소에 도착해서도 눈물은 멈춰지질 않고
그냥 서럽기만 했습니다.
그렇게 울다가 지쳐 잠깐 잠이 들었나 봅니다.

꿈속에서
저는 남자복장을 하고 있었고
사람들과 산등성이를 뛰고 있었습니다.

뒤에서는 누군가가 우리를 쫓고 있었고
제가 소리를 지르고 있었습니다.
"저 쪽으로, 저 쪽으로"

골짜기를 향해 일행들의 행로를 지시하고
저는 산등성이 위를 향해 달렸습니다.

쫓아오는 무리들이 가장 잘 보이는 곳으로 달리며
저에게로 유인하는 그런 장면에서 달리고 또 달리는데
누군가가 저를 흔들어 깨웠습니다.

미국에서 함께 간 일행이 옆방에 묵고 있었는데
소리를 너무 질러서 제 방으로 달려온 것이었죠.

온몸에 땀이 흠뻑 젖어 기진해 있는 모습을 보고
저를 병원으로 데리고 가서 수액을 맞추었습니다.

어린 시절부터 자주 꾸던 대원들을 끌고 다니던 꿈을
그날이후 거의 매일 밤 꾸었습니다.

마치 영화의 장면들처럼 너무나 생생하고
비슷한 장면들의 반복이었습니다.

모든 것이 마음에서 만들어 내는 것이라고
명상을 하고 기도를 하여도 꿈은 계속 되었습니다.

꿈속에서는 언제나 남자복장을 하였고
무리를 이끌고 산등성이와 들판을 쫓고 쫓기다가
숨이 턱까지 차고 땀으로 이불을 적시며 깨어나곤 했습니다.

스스로 맘공부도 헛했구나 하는 생각도 들다가
한편으로는 내 업이 확실하구나 싶어

꿈을 일상으로 받아들이고 있었는데

밤에 푹 자질 못하니 체중 감소가 심해지자
주변에서 많이 걱정을 하였습니다.

하루는 정신과를 전공하고 있던 선배의사와
점심을 먹다가 자주 꾸는 꿈 얘기를 했더니
"너 영화 많이 봤냐."고 하면서 가볍게 넘겨 버리더군요.

근데 저는 원래 전쟁영화나 드라마를 전혀 보지를 않고
동화책과 만화 그리고 어린이들 드라마와 영화만 좋아했거든요.

저를 아는 한국의 지인들은 유별나다고 말 할 정도로
싸우고 죽이는 장면을 싫어했고 눈뜨고 보지를 못했습니다.

그렇게 세월을 보내던 어느 날
최면학 특강이 있어서 참석을 했는데 그때 교수님 말씀이

우리의 정신과 육체가 경험한 모든 것들은
피라미드모양처럼 쌓이고 쌓여서 무의식으로 존재하는데

어떤 계기가 되면 수면위로 떠오르는데
그것들이 바로 카르마의 표출이라고 했습니다.

그런 얘기는 이미 알고 있었건만
그날의 강의는 유난히 제 가슴에 와 닿았고
최면치료학을 수강하게 된 계기가 되었습니다.

그리고 특정한 장소에서 잠제 되어있던
무의식의 장면들이 표면위로 떠올랐다는
것을 알게 되었죠.

제가 간곳이 독립운동의 거점지였던
북간도 명동학교가 있었던 곳이었고
제가 통곡했던 곳은 명동교회였던 겁니다.

슬픔의 성지가 바로 나의 또 다른 생이었을까요.

3. 인연 따라 삼만리 티벳 가는 길

오늘은 인연 따라 삼만리를 얘기해 보고자 합니다.

90년대 초 티벳 원로 린포체들이 한국에 왔었죠.

제가 티벳 린포체들과 만났을 당시 그들은
달라이 라마와 함께 인도에 망명 정부를 꾸려가는
수뇌부였습니다.

그들은 티벳의 독립을 위해
격렬한 저항운동을 거쳐
부드러운 투쟁을 하고 있었습니다.

우리가 헤이그 밀사를 보냈듯
그들 역시 세계를 향해 도움을 요청하며
티벳의 상황을 알리고 다니는 중이었죠.

부드러운 투쟁이든
목숨 바쳐 피를 흘리는 투쟁이든
나라를 찾고자 하는 간절함을 알기에
우린 오랜 인연처럼 많은 얘기를 나누었죠.

그리고 약속을 하였습니다.
티벳에서 꼭 만나자고.

하지만 저는 원로 린포체들이 없는
티벳을 인연 따라 가게 되었습니다.

지금부터 오래전 티벳 가는 길입니다.

신비의 땅이라 여겨지고 있는 곳.
정신적 수양을 하는 사람들에게는
더욱더 그리 느껴지는 곳이 티벳 일겁니다.

그 신비의 땅을 가기 위해서는
문명의 이기를 최소한으로 이용하기로 했죠.

북경에서 시안을 까지 기차는 밤을 새워 달렸습니다.
시안에서 난조우까지도 만만치 않은 여정이었죠.

날이 바뀌고 난조우에 도착해
다시 꺼얼무라는 곳으로 향했습니다.
당시만 해도 중국에서 기차표를 정식으로
구하기란 하늘의 별 따기였습니다.

미리 어디로 다 빠져나가는지.

암표를 사든지 역무원들이 경영하는
역전 휴게소를 돈을 내고 이용해야 표를 구할 수 있었죠.
공공연한 암표장사죠.

휴게실 이용료는
가는 거리 따라 달랐지만
기차표 값의 반에 해당했죠.

그런 방법 이외에는
표를 구할 수가 없었고 그렇게 구할 수 있는 것도
다행으로 여기는 것이 당시 중국의 상황이었습니다.

간신히 구한 표를 무슨 보물인양 손에 꽉 쥐고
기차에 올라 자리를 잡고
기차가 출발해야 안심을 할 수 있었습니다.

자리를 이중으로 팔았거나
암표 중에 가짜도 있기 때문이죠.

지금이나 그때나
가짜와 사기가 난무하는
기가 막히는 땅이 바로 중국이었죠.

`기차가 기적을 울리며 온밤을 달렸습니다.
인연 따라 떠난 길고도 긴 여정은
곽밥(도시락밥)을 사먹으며 새날을 맞았습니다.

허허벌판에서 소금기 냄새가 차창을 통해 들어왔고
숨이 가빠지기 시작했습니다.

칭하이성에 속하는 꺼얼무에
기차가 멈추었습니다.

꺼얼무는 티벳으로 들어가는 육로이면서
해발 이천팔백메터가 넘는 곳이죠.

꺼얼무라는 곳은 가뭄이 들면
호수 전체가 소금으로 가득하고
땅에도 염분기가 있는 곳이었습니다.

그 옛날 소금이 금값이었을 시절에는
사람들에게 선망의 땅이기도 했으련만
지금은 할 수 없어, 떠날 수 없어,
사는 땅이라 느껴지는 곳이었습니다.

꺼얼무에 도착하여
티벳을 가려면 수속을 다시 해야 했습니다.
돈 뜯어 먹는 쪽으로 놀라울 정도로
머리 좋은 중국인들이 마련한 제도인 즉

외국인들에게는 티벳에 들어갈 허가증을 팔았습니다.
가격은 당시 한국 돈 10만원이지만
그들은 절대 그것만 챙기질 않았죠.

중국 관광공사는 티벳을 보여주는 비용까지 합해서
중국돈 일천 사백원 요구하더군요.
당시 백화점 점원 월급이300원이었기에 천 사백원은 점원의
4달 월급이었습니다.

남의 나라를 점령해 놓고
그 나라에 들어가는 모든 외국인에게

그 많은 돈을 뜯어내는
그것이 바로 중국인들의 근성이었습니다.

우리나라 사람들이 세워놓은
명동교회와 대성학교 기념관을
한국 사람이 들어가는데 중국인들이 돈을 챙기고 있는
길림성 용정마을의 운영과 같은 맥락이죠.

인연 찾아 가는 길이었기에
순탄한 여정을 위해서
대가를 지불하기로 했습니다.

수속을 위해 직원과 통화를 하고
약속장소로 갔지만 직원은 없었고
1시간이 지나서야 어슬렁거리며 나타나더군요.

그는 미안한 기색 하나 없이 입으로만
"뚜이 부치"를 연발했습니다.(미안해)

하여튼 큰돈을 지불하고
하루 뒤에 떠날 채비를 하나씩 했죠.

산소통과 포도당 그리고 뇌압 올라가는 것을
방지하기 위해 이뇨제도 잊지 않았죠.

그런데 급히 출발하느라고
이뇨제는 먹지 못했는데
먹었더라면 큰일 날 뻔했습니다.

차안에는 화장실이 없었기 때문이죠.

급하게 출발한 이유도 기가 막힌 사연이 있었죠.

허가증을 받고 다음날 출발하기로 했는데
아침에 숙소 주인이 급히 문을 두들기더군요.

티벳 가는 산에 눈이 너무 많이 와서
버스가 출발하지 않는다고 했습니다.
할 수 없이 하루를 더 묵었죠.

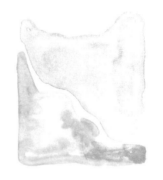

다음날 아침에도 눈 때문에
버스가 출발하지 못한다고 하기에
또 하루를 더 묵었습니다.

셋째 날 아침에도 역시
버스 출발이 없다는 주인장 말에
포기를 하고 아침 겸 점심을 먹고

언제쯤 출발 할 수 있을지
물어보기 위해 버스정류장으로 갔습니다.

그런데 세상에.
조금 있다 출발할 것이고 어제도 그제도
매일 매일 버스는 출발했다는 겁니다.

산에 눈이 많이 와 있으면
위험 할 텐데

괜찮냐고 물었더니
눈이 오지 않았다는 거예요.

와~~
중국사람 답구나 싶었죠.
며칠이라도 더 숙박료를 받기위해
버스 출발을 못한다고 거짓말을 한 것이었습니다.

오후4시 급하게 준비물을 챙겨 버스에 오르자,
난지도에서 주워 온 것보다 훨씬 더럽고
낡은 이부자리와 반쯤 누울 수 있는
이층 침대칸이 나를 맞이했습니다.

앉을 수도 누울 수도 없는 침대칸 버스.
재수가 좋으면 28시간을
달려야 티벳에 닿을 수 있고

재수가 좀 안 좋으면 36시간은
감옥살이를 해야 한다고 했습니다.

재수가 좋다는 것은
타이어가 한번 펑크 나는 것이고,
안 좋으면 두 번 이상 이라고 하더군요.
타이어 펑크가 나면
고산지대 맨땅에서 한 시간 이상을
숨 헐떡이며 기다려야 하고

또 더 안 좋으면 천길

낭떠러지로 떨어져
다음 생을 기약하는 것이었죠.

승객들 대부분은 티벳 원주민들 이었습니다.
그들은 장사를 하며 티벳과 중국을 왕래하는
사람들이었죠.

버스가 출발하고
도심을 벗어나자 버스 안에는 먼지가 자욱했습니다.

버스 밑판 철판이 낡아서 구멍이 나 있고
그 사이로 흙먼지와 자동차 배연이 굴뚝의 연기처럼
들어오더군요.

인연 찾아 가는 길이 어찌 순조롭기만 하겠는가하는 생각으로
숨이 막힐 듯한 버스 안 공기를 인식하지 않으려 애를 썼죠.

시간은 저녁9시건만 해는 중천이고
버스가 고도를 높여 오를수록
귀를 찌르는 엔진의 굉음과 흙먼지는
어느새 내 머리에 자욱하여 떡이 되었습니다.

거울이 없어 나를 볼 수는 없었지만
옆 사람을 보면서 나의 모습이 상상 가더군요.

먼지로 뒤덮은 모습에
눈만 반짝 반짝 거렸죠.

하지만
창밖 풍경.
이끼 낀 고산지대.
징기스칸이 이곳을 거쳐 서역으로 달릴 때의 장면이
내 두 눈과 마음 스크린을 채웠습니다.

끝없이 펼쳐진 이끼 낀 구릉들과
눈이 시리게 파란 하늘은
그 옛날 꿈속의 하늘 바로 그것이었습니다.

불교와 인연이 없던 시절
모태신앙이며 태어나서 내가 기억하는 한
교회를 단 한 번도 빠지지 않던 시절

꿈속에서 그 파란 하늘을 보았었죠.

딸랑 딸랑 방울소리와 함께
라~마~(라마교의 고승)가
파란하늘에 울려 퍼지는 꿈.

그때 그 꿈속에서 보았던 풍경이
내 눈앞에 펼쳐지고 있었습니다.

어느 생 어느 시절에 이곳과 인연하였는지
알 수는 없지만 분명 익숙한 풍경이었고
그 풍경 속에서 내 몸은 소름이 돋을 만큼
익숙함의 신호를 보내왔습니다.

*그물에 걸리지 않는 바람처럼 살 수 있는
 그 어느 때를 상상하며 이 글을 적어봅니다.*

4. 다시 오신 걸까

가족 같은 환자 집안 얘기입니다.

천하에 없는 효자 아들을 하늘로 보내시며
할머니는 핏덩이 손녀영아를 안고 피눈물을 흘리셨지요.

할머니는 동지섣달에도 가슴에서 불이 난다며
모시적삼을 입으셨습니다.

하루해가 저물 무렵이면 뒷동산에 올라 서녘하늘을 보며
피를 토하듯 아들 이름을 목이 쉬도록 부르셨죠.

인생살이가 숨 막히는 시절이 있으면
숨 쉴 구멍도 생긴다는 것이 맞는 말이었습니다.

아들이 남기고 간 손녀 영아는 애교도 많았고 밝았기에
할머니의 가슴속 피멍을 조금씩 흐리게 하였죠.

손녀 영아는 할머니의 치맛자락을 놓지 않았습니다.

같이 잠들고 같이 일어나고 심지어 뒷간(화장실)에

갈 때도 따라다니며 애교를 부렸지요.

할머니는 늘 말씀하셨지요.
"지금은 다른 바램은 없고 내 영아가 밥 잘 먹고
아프지 않는 것이다."

할머니는 손녀사랑에는 한없이 바보스러우셨지만
아주 위엄이 있으셨고, 없는 사람들에게 자비로우셨기에
동네에서 재판관 역할을 하셨습니다.

다툼이 벌어지면 할머니에게 판단을 내려 달라고
사람들이 모이곤 했었지요.

손녀가 초등학교 6학년 여름방학
할머니는 하늘나라로 가실 준비를 하셨습니다.

할머니는 손녀영아의 손을 잡고 말씀하셨지요.
"꼭 너와 함께 할 것이니 울지 말고 밥 잘 먹고 아프지 말라고."

가족들은 할머니를 보내는 손녀 영아를 많이 걱정했지만
영아는 할머니의 약속을 믿었습니다.

할머니가 내쉰 숨 들이쉬지 못하는 걸 본 영아는
마을 뒷길을 따라 뛰며 울었습니다.
할머니와 늘 거닐던 길이었지요.

어린나이에 이른 새벽 왜 그길로 달려갔는지
그때는 몰랐습니다.

다음해 3월 영아가 도시로 유학을 떠나
하숙을 하며 홀로 지내게 되었지요.

영아는 할머니가 한없이 그리웠습니다.
밤마다 할머니 꿈을 꾸려 일찍 잠자리에 들고 했지요.

그런데 한 달 후인 4월에 언니가
영아를 돌보려고 서울에서 내려왔습니다.

그때 언니는 임신 중이었죠.

할머니만 그리워하던 가슴은
언니와 뱃속 조카가 채워줬었지요.

초가을 조카가 태어나고 영아도 서울로 올라와
가족이 함께 살게 되었습니다.

영아가 어른이 되어가면서 환생이라는 여러 사례를 접하며
많은 생각을 하게 되었습니다

조카의 행동 하나 하나가 할머니와 참 많이 닮았기 때문이죠.
어린나이의 조카가 고모의 밥 먹지 않는 것을 걱정하며
말끝마다 밥 먹었냐? 아프지 않냐? 맛있는 것 좀 잘
먹으라고 했거든요.

그뿐 아니라 동네 아이들이 싸움이 벌어지면
놀다가 뛰어가서 가운데 버티고 양팔을 벌리면서 "스톱"하면서
싸움을 말리곤 하여서 재판관 역할을 하곤 했습니다.

또한 기독교 집안에서 태어난 조카인데
산소에 가서 조상 묘에 절을 하기도 했죠.

우리나라 전통적인 제례의식을 존중해야 한다면서
유교적인 태도를 취했습니다.
할머니는 유교의 도리를 지키며 사셨거든요.

또한 할머니께서는 주민증 만들기 위해 찍는 사진도 거부하셔서
면사무소 직원이 사정사정을 해서 사진 한 장을 찍으셨죠.
그런데 조카도 사진 찍히는 것을 싫어했습니다.

그뿐 아니라 다른 많은 부분들이 할머니와 닮아 있었죠.
조카가 할머니의 환생이라는 생각에 무게를 두게 된
일이 또 있었습니다.

어느 해 여름 영아의 어머니 꿈에
어린 조카가 할머니의 음성으로 말을 하더랍니다.
"애미야! 우리 영아 몸 아프지 않게 잘 먹여라"

어린 시절 영아가 먹지를 않아서 할머니는 늘
영아의 건강을 걱정하셨다고 합니다.

오늘 제가 이 얘기를 한 이유는
우리 곁에 있는 모든 인연이 소중하다는
얘기를 전하고 싶어서 몇 자 적어봤습니다.

5. 제가 알아보겠습니다.

그때 그 시절
수덕사를 향하는 길은 설레임의 길이었습니다.

염화실로 오르는 돌계단은
천국 가는 계단을 오르는 것 같았죠.

염화실 문 앞에 도달하면 가쁜 숨 몰아쉬다
다시 한 번 긴 호흡을 하고 큰스님에게 다가갔죠.

두 분의 시자스님께서도 반갑게 맞아 주셨지만
큰스님께서는 누우셔서 손을 먼저 내미셨습니다.

그렇게 손을 잡고 있으면
공양 드실 시간을 빼고는 손을 놓지 않으셨습니다.

저를 바라보시며 한순간도 눈도 떼지 않으셨죠.
그러다가 신도들이 찾아오면

의자에 등을 기대고 앉아계시면서도 손을 놓지 않으셨습니다.

그러던 어느 날

큰스님과 단 둘이 있게 되었습니다.

큰스님께서 말씀하시더군요.
"道란 시집장가 가서 아들딸 낳고
손자 손녀 무릎에 앉히고 태평가를 부르는 것이란다."

저는 여쭈었죠.
"그럼 큰스님께서는 다음 생에 그리 하시렵니까?"

큰스님께서는 허허 웃으시면서
"나는 저쪽 코 큰사람들 세계에 가서 도를 좀 전해 보련다."

저는 큰스님께 말씀드렸죠.
"제가 꼭 큰스님을 알아보겠습니다."

큰스님 입적하시고
저는 미국을 비롯하여 코 큰 사람들 사는 나라를 돌면서
어린아이만 보면 혹시나 하며 큰스님을 찾았었죠.

깜깜한 밤중에 수풀 속에서 바늘을 찾듯
내 눈 밝지 못하면서 스승님을 찾고 찾던
어느 날 꿈을 꾸었습니다.

한줄기 맑은 물이 산꼭대기에서 흘러 내렸고
저는 그 물줄기를 따라 산을 오르고 있었습니다.

아래부터 반투명한 벽의 집들이 있었고

오르면 오를수록 집은 유리처럼 맑게 안이 들여다보였습니다.

집의 마지막에 오르자
모습은 보이지 않고 큰스님의 음성이 들렸습니다.

"너의 옆을 보거라"
거기에는 어린아이가 있었습니다.

"너의 앞을 보거라"
거기에는 허리 꼬부라지고 머리 하얀 어르신들이 계셨습니다.

다시 음성이 들렸습니다.
"그들 중에 내가 있다."

저는 그사이를 돌며 계속해서 큰스님을 찾았지만
찾지 못하고 잠에서 깨었습니다.

뭐라 표현할 수 없는 아쉬움이 맘을 감싸고돌았습니다.

헛헛한 기분을 달래보러 이른 아침
유태인들이 하는 베이글 집으로 갔습니다.

빵집 문은 아직 오픈 전이었고 제가 제일 앞에 서고
서너 명의 어르신들이 제 뒤를 이어 오셨습니다.

은발의 허리 구부정한 할머니와 할아버지들.
간밤 꿈속의 그 모습들이셨습니다.

저는 어르신들에게 앞자리를 양보하고
줄 뒤로 물러서며 생각했죠.

간밤 꿈의 의미는
내 주위의 모든 이들은 나와 인연되지 않은 이 하나 없고
모두가 나의 스승임을 큰스님께서는 상기시켜 주셨다는걸
깨달았습니다.

그래서 지금도
나를 힘들게 하는 인연을 대할 때면
마음속으로 혼잣말을 합니다.

"그래,
그 어느 별에선가 나의 스승이었을지도.
나의 연인이었을지도
내 부모 자식이었을지도 몰라"
라고 생각하곤 합니다.

그렇게 생각하면 조금 덜 야속하고 조금 덜 속상하고
조금 덜 화가 나더군요.

요즘 들어 유난히 더 혼잣말을 많이 해야만 하는
인연들이 다가와서 그때 꿈을 다시 한 번
되새겨 봤습니다.

*인연은 처음 만남이고 운명은 마지막 만남이라지만
 인연을 운명으로 만드는 건 각자의 몫이 아닐런지요.*

6. 꽃처럼 예쁜 아가씨보살

어느 여름날
한복을 곱게 차려입은 젊은 아가씨와

50대로 보이는 여인이
진료실에 들어왔습니다.
한눈에 보아도 신을 모시는 분들이었습니다.

시선을 아래로 하고 앉아 있는
아가씨를 보자 제 특유의 감성이
가슴을 치밀고 올라왔습니다.

아가씨를 보니 가여워서 가슴이 저려왔고
여인에게는 거부감이 느껴졌습니다.

 여인이 입을 열더군요.
"우리가 산 기도를 다녀왔는데
이 아이 몸이 이렇게 난리가 났어요."

아가씨의 온몸에는 발진이 일어나 있었습니다.
여인은 말을 계속하더군요.

"피부병 아니죠?
내가 보기에는
동자가 장난친 것 같거든요."

저는 아주 단호하게 답했습니다.

"아니요. 이건 동자의 장난이 아니라
접촉성 피부염입니다.
절대로 동자가 장난친 것이 아닙니다.
동자는 할일도 많은데 왜 이런 장난을 칩니까?"

저도 모르게 의사의 입에서 나올 말이 아닌
"동자는 할일도 많은데" 라는 말이 튀어 나왔고
아가씨와 여인은 눈이 동그랗게 뜨고
저를 바라보았습니다.

아가씨보살의 이름은 진이였고
진이와의 인연은 그렇게 시작되었죠.

첫 만남 이후
神엄마인 50대여인은 오지 않고
진이 혼자 병원엘 오곤 했습니다.

그러던 어느 날
진이에게 물었습니다.

"할머니신 모시제?"
그녀는 다소곳이 " 예"라고 답했고

저는 말을 계속했죠.

"참 고우신 분이시네. 얌전하시고."
진이는 살짝 미소를 지으며 저를 바라보더군요.

진이와의 만남이 반복되면서
그녀가 신을 모시게 된 사연을 듣게 되었죠.

그녀는 고등학교시절부터 신병을 앓았다고 했습니다.

고등학교 시절 인적이 드문 곳으로 걷는 것을 좋아했는데
이상하게 자기가 갈 때 마다 많은 사람들이 여기 저기
있더랍니다.

하루는 젊은 남자가 커다란 나무를 통과하는 모습을 보고
헛것을 봤나 싶어 고개를 흔들어 다시 보기도 했다더군요.

또 어떤 날은
허리가 꼬부라진 할머니가 지팡이를 짚고
무거운 보따리를 들고 가서서
도와 드리려고 옆으로 가면 할머니가 사라지고 없어지더래요.

그녀의 눈에는 수많은
귀신들이 보였으며 몸은 더 많이 아팠다고 합니다.

백약이 무효하고 고통은 삶을 포기하고 싶을 정도였기에
신을 받으면 아프지 않는다고 해서
스무 살에 신 내림을 받았다고 하더군요.

그녀와의 인연은 그렇게 시작되었고
그녀가 다른 지방으로 이사를 한 후에도

그녀의 안부가 궁금하다는 생각을 하면
영락없이 하루이틀내로 연락이 오곤 합니다.

그녀와 맺은 인연은 20년이라는 세월이 지난
지금도 계속되고 있습니다.

그녀 말에 의하면
전생에는 법가에서 그녀가 제 동생 이었다고 하네요.

전생의 인연이 어떠하든
지금도 그녀를 생각하면 가슴 한 구석이 아릿합니다.

신기하게도 이글을 쓰고 있는데
그녀에게서 전화가 왔습니다.

"세상에 온갖 귀신들이 날뛰고 있어요.
한시도 마음 놓지 말고 기도하며 살아야 해요.
기도밖에 없어요."라고 말하네요.

그녀가 말하는 귀신이 아닐지라도
음의 기운이 세계를 감싸고 있는 시절

각 사람 사람이 "일체유심조"즉
모든 것은 마음먹기에 달렸다는 사상으로 살아간다면

귀신이든 음의 기운이든 지나가는 바람이겠지요.

진흙 속에 뿌리내렸지만
물방을 하나에도 물들지 않고

또르르 흘려보내는 연잎처럼
살아가야 할 시절이
지금이 아닌가 싶습니다.

7. 물을 무서워 하는 여인

우리의 마음을 대신하듯
새벽비가 치적치적 내리네요.

그래도 역사는 돌고 돌기에
우리 모두 천지의 이치를 믿고
기운 내십시다.

오늘은 최면으로 본
전생 얘기를 해보겠습니다.

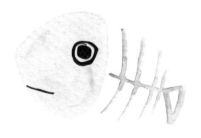

현생을 보면 전생을 알 수 있고
다음생도 알 수 있다고 하지요.

여기 제 환자인 한 여인의
전생이야기를 써보겠습니다.

그녀는 물을 아주 많이 싫어해서
목욕탕에도 가질 않았습니다.

무릇 그 이상 오는 물에는

들어가지를 못했고
샤워도 머리부터 물을 뿌리면
숨이 막혀했습니다.

우리 인체의 70%가 물로 구성되어 있고
물은 생명의 근원이기에

물을 두려워하며 살기란
여간 힘든 일이 아니었지요.

그녀는
갓난아이 때부터 목욕을 시키면
자지러지게 울었답니다.

심지어는 파랗게 질리기도 해서
물속에 넣지를 못했다더군요.

물에 대한 공포는 계속되었기에
최면치료를 받기로 했습니다.

안내에 따라
그녀는 서서히 최면으로 들어갔습니다.

무엇이 보이냐는 물음에
그녀가 말을 해나갑니다.

광목으로 된 치마저고리를 입고
배가 많이 부른 여자가 보이고

거적에 쌓인 뭔가가 보인다고 했습니다.

누가 죽었냐고 묻자

"남편이 죽었어요.
내 뱃속에는 아이가 있어요.
나와 아이밖에 아무도 없어요."
라고 말하면서 울기 시작했습니다.

옆에서 지켜보는 저까지
눈물이 날만큼 서럽게 울더군요.

최면의 진행이 어려울정도로
서럽디 서럽게 울더니

가슴을 쥐어뜯으며
숨을 제대로 쉬지 못했습니다.

결국에는 입술까지 파랗게 변하여
최면을 지속시키지 못하고
급히 깨어나게 했죠.

심호흡을 시키며 겨우 진정을 시킨 후
그녀의 동의하에 다시 들어가 보기로 했습니다.

"이번에는 무엇이 보입니까."라는 질문에

다른 장면을 얘기했습니다.

구걸을 하는 배부른 여자가 보이고
처마 밑에서 웅크리고 앉아 있다가
어디론지 걸어간다고 했습니다.

계속 따라 가라고 했더니

마을을 지나 쓰러졌다 일어나고 또 쓰러지며
좁은 길을 걷고 있다고 했습니다.

그 길 끝에 무엇이 보이냐고 물었더니

물이 가득한 호수? 강? 같은 것이 보이고
배부른 여자가 물속으로 들어간다고 말했습니다.

가슴까지 물이 올라오자 무서워서
뒤돌아 나오려고 한다고 하더군요.

그런데 뭔가 발에 걸린다고
소리를 질렀습니다.

그러더니 두 손과 발을 을 허우적거리며
살려달라고 소리를 질렀습니다.

그녀는 소리치고 또 치더니
숨을 쉬지 못했습니다.

위험한 순간이어서
최면에서 깨어나게 했습니다.

깨어난 후에도 꽤 긴 시간 숨을 몰아쉬며
힘들어 했기에 다시 최면으로 들어가진 못했죠.

그녀의 전생.
남편을 잃고 삶이 버거워

아이와 함께 물에 빠져
생을 마감할 생각을 하였으나

물속에서 생각을 바꾸어
생의 끈을 다시 잡으려 했던 겁니다.

그런데 발을 잘못 디뎌 결국 생을
마무리 했던 것으로 보였습니다.

한생의 마감이 진정 끝이 아니기에
전생에 지은 업은 현생에 갚기라도 하듯

자궁근종이 심하여 한 달에 한 번도 아닌
두 번씩 하혈을 하듯 피를 쏟아냈고

결국에는
결혼도 하지 않은 처녀의 몸으로
자궁 전체를 들어내는 수술을 받았습니다.

영원히 아이를 갖지 못하게 된 거죠.

또한 지금은 무료급식센터를

운영하며 배고픈 이들을 돕고 있습니다.
이 또한 전생의 인연에 의한 것이겠지요.

우리가 몸을 받아 살고 있는 이번 생은
전생에 지어놓은 업에 의해 태어났고

현생에 내가 하는 생각과 행동들은
다음생의 나를 만든다고 옛 성현께서 말하셨죠.

사람 몸을 받아 이생을 살면서
업을 짓지 않을 수는 없기에

업을 지으려면 善한업을 지으라고 말씀하시던
스승의 말씀이 오늘따라 진하게 다가옵니다.

그 언젠가는.
업력소생이 아닌 원력소생하길 소원하며
이 생 다하는 순간까지
열심히 살아야 하지 않을까싶습니다.

*나의 운명은 내가 만들기에
 운명은 거룩하고 숭고한 나의 생인 것 같습니다.*

3부

수호천사가 알려 주고 싶었던 일들

1. 검은 보자기의 의미

하늘에서 까만 보자기가 내려 왔습니다.

작은 보자기가 땅에 가까워지자 전 지구를 다 덮었습니다.
앞을 볼 수 없는 사람들이
보자기 속에서 허우적거렸습니다.

허우적거릴수록 검은 보자기는
사람들을 더 휘감았습니다.

놀라 잠에서 깨고 보니
꿈이었습니다.

이불이 촉촉이 젖어 있었습니다.

새벽3시 다시 잠을 청했지만
징조라는 생각에 잠이 오질 않았죠.

그리고 얼마 후 중국 발 박쥐에 의한
바이러스가 퍼지기 시작했죠.

훗날 그 바이러스는 코비드 19라 칭해졌고
하늘에서 내려온 검은 보자기의 상징임을
뒤 늦게 알았지요.

이 지구는 코비드 19와 함께 살아가야 할 수도 있겠다는
생각이 듭니다.

당황하지 말고 두려워하지 말고 허우적거리지 말고
영원함 없는 것이 진리임을 믿고 살아보십시다.

*기쁨의 나무는 슬픔에
 뿌리내린다지요.
 슬픔이 깊을수록
 기쁨도 커질 겁니다.*

2. 현몽이 견 몽으로

경기도 철마산 골짜기를 차지한건
무당들이었습니다.

그 골짜기가 아들 낳는데 영험하다는 소문이
무당들 입소문에 퍼져있었고
골짜기의 바위들은 촛농으로 옷을 입고 있었죠.

내가 자리한 곳도 전기가 들어오지 않아
천막 안에서는 촛불을 켜고 있었죠.

90년 겨우 허가를 받아 주택을 하나 지으며
전봇대를 개인 돈으로 끌어왔고
문명의 편리함을 누릴 수 있었죠.

물론 대신해서 반딧불의 반짝임은
저만치로 물러나 있었고요.

집을 완성하고 미국 유학길에 오를 준비를 하고 있을 때
꿈속에서 개울가의 촛불은 사라지고
산위까지 전보대가 즐비한 광경이 보였습니다.

현 위치의 전봇대는 사라지고
산속 개울 옆으로 길이 펼처 있었죠.

당시로는 기존에 길이 있었기에
무시하고 유학길에 올랐습니다.

유학 준비 중 가격이 아주 낮은 맹지를 가진
원주민이 나에게 땅을 살 것을 제안했고

그곳은 값어치도 없을 뿐 아니라 유학 준비 중에 있었기에
일을 벌이기 싫어서 거절을 한 후였습니다.

그리고 미국에서 공부를 하고 돌아와 보니
10년 전 꿈속에서 본 그 광경이 실제 일어나 있었습니다.

꿈속에서처럼 그 맹지 옆으로 길이 나 있었던 겁니다.
물론 땅값은 천정부지로 올라 있었고요.

꿈을 꾸어도 해몽을 하지 못하고
실행하지 않으면 현몽도 개꿈이 된다는 걸 실감했지요.

*후회는 약자의 것이라지만 지혜롭지 못했음은
아쉬움으로 남아 숨 쉬고 있습니다.*

3. 날개 달린 기회

양로원과 고아원을 한곳에 차려 살아보겠다고
경기도 일대를 좋은 터를 찾아 다녔지요.

20대초에 6개월 이상을 버스를 타고
시골 골짜기 골짜기를 헤매고 다녔죠.

복덕방에 들어가서 첫마디가
"앞으로 개발 안 될 산 좋고 물 좋은 곳에
양로원 할 만한 곳을 안내해 주세요."라고 말했습니다.

지금 생각하면 참으로 어린아이 같은 생각이었죠.
개발 될 곳을 사놨다 그걸 팔고 좋은 곳으로 가면 된다는
생각은 하지 않았으니까요.

그 시절에는 용인과 경기도 광주 양평 등
모두 개발이라는 단어는 없었을 시절이었습니다.

하루는 일산에 밭과 집이 있는 800평 땅을 안내 받았는데
앞이 확 트이고 햇볕이 좋아서 계약을 하기로 했습니다.

당시만 해도 개인이 그 땅의 등기부등본과 토지대장을 떼어보고

잡혀 있는지를 알아봐야 했기에 그 서류 준비를 하는 동안
꿈을 꾸었습니다.

형체를 알 수 없는 물체인 도깨비들이
벼를 가마니로 가져와 집에 붓고 있었습니다.
그런데 그 벼가 넘쳐나서 집이 덮혀 버리더군요.

그 꿈을 꾸고 그 집에 귀신이 산다고 생각하고
계약을 포기했죠.

물론 그곳은 얼마 지나지 않아 개발이 되어
대박 나는 자리가 되었죠.

누군가 그러더군요
하늘이 주신 기회에도 날개가 달려있기 때문에
내 앞을 지나갈 때 잡아야 한다고요.

하늘이 주신 기회를 받을 수 있는 것도
전생에 복을 많이 지어놔야 하고

지혜가 있어야 된다는 옛 어른의 말씀이
옳은 것 같습니다.

*세월의 바퀴를 되돌려 그날을 되새기며
 지금 이 순간에도 지혜롭지 못한 삶을 사는건 아닌지
 생각해 봅니다.*

4. 다시 주신 기회

또 한 번은 경기도 수동면에 땅을 보러 갔습니다.

내림천이 있고 참 아름답더군요.
홀로 어르신들과 함께할 꿈을 꾸며 계약을 약속하고
가 계약금을 걸었죠.

집 등기를 확인 후 정식계약을 하러 가려는
전날 꿈을 꾸었습니다.

내림 천에 물이 가득 차 있었고 그 위에
내 엄마가 돌아가서서 물에 떠 있는 꿈이었죠.

어린 마음에 그곳에 가면 내 엄마나 어르신들에게
나쁜 일이 생길 징조라 생각했죠.

기분 나쁜 꿈 얘기는 아무에게도 하지 않고
그 땅을 사지 않았습니다.

그런데 몇 년 지나지 않아 그곳이 개발이 되어
땅값은 하늘을 향해 솟아올랐고 그 동네 땅을 가진 사람들은
큰 부자가 되었습니다.

제가 꾼 꿈은 두개 모두 부자가 되는 예지 몽이었던 것인데
해석을 잘못 한 것이지요.

우린 누구나 살아가면서 인생 대역전의
예지 몽을 꾼다고 합니다.

그러나 그 예지 몽을 해석하는 지혜로움이 없으면
결국은 개꿈밖에 안된다고 어느 해몽가의 말씀이 생각납니다.

*사람 마음을 가장 편하게 만드는 단어가 운명이라고 하죠.
 그건 아마도 받아들임의 의미를 담고 있기 때문이겠죠."

5. 어머니의 예지 몽

사월의 포근한 바람은 어디를 갔는지
시절과 다르게 차가운 바람이 부는
이른 아침입니다.

삶에서 행복이란 무엇일까요.

사랑하는 사람에게 사랑한다 말할 수 있고
고마운 사람에게 고맙다고 말할 수 있는
지금이 바로 행복한 순간이 아닐까 싶네요.

오늘은 제 어머니 얘기를 해 보렵니다.

지난 주일에는 엄마한테 다녀왔습니다.

살아 계실 때 한번이라도 더 사랑한다 말할걸.
옆에 계실 때 더 많이 "엄마 고마워"라고 말할걸.

엄마 사랑해. 엄마 고마워 라고 외쳐 보지만
그 독백은 언제나 후회라는 메아리로 돌아옵니다.

내 어머니는 예지 몽을 잘 꾸셨습니다.

그 꿈으로 아빠를 여러 번 살리셨다고
할머니께서 말씀해 주시더군요.

6.25사변 즈음 때 일입니다.
당시 민간인들은 너무나 힘든 생활을 했다고 합니다.

낮에는 군인들에게 밥해 먹이느라 힘들고

밤에는 빨치산 사람들이 마을을 습격하여
물건을 약탈해 가는 것은 물론

남자들을 잡아갔는데 우리 집은 땅이 있어
먹을 것이 있다는 소문으로 더 많은
약탈과 괴롭힘을 당했다고 합니다.

아빠와 삼촌은 해가 지면
빨치산 사람들을 피해
숯을 굽던 숯가마에 숨어 지내셨다더군요.

하루는 엄마 꿈에서
그 빨치산 사람들이 아빠와 삼촌이 계시는
토굴로 몰려가더랍니다.

엄마는 놀라 깨어나셨고
자갈밭과 가시투성이의 산길을 달려가

아빠와 삼촌을 피신시켰는데 집으로 돌아와
피 범벅이 되어있는 발을 씻기도 전에

동네를 약탈하고 산으로 가서 숯가마를 뒤지더랍니다.

누군가가 아빠와 삼촌이 숨어 지내는 곳을 고자질 했지만
엄마의 꿈으로 무사할 수 있었던 겁니다.

어떻든 엄마의 꿈으로 아빠와 삼촌은 빨치산 사람들에게
잡혀가지 않았던 거죠.

*아픔 없는 사랑은 없다지만 내 어머니의 사랑은
 가늠 할 수 없는 아픔의 연속이었습니다.*

6. 후회로 남은 예지 몽

제가 기억하는 내 어머니는
후회와 한탄은 하지 않으신 분이셨는데
한 가지는 평생 후회를 하셨습니다.

엄마 꿈속에서.
아빠 친구가 물고기를 잡는다고 물속으로 들어가더니
나오지를 않자 아빠가 친구를 구하러 물속으로
뛰어 드시려 하더랍니다.

엄마가 "들어가지 마요. 들어가지 마요."라고 소리치는데도
아빠는 물속으로 뛰어 들어 가셨고

한참 후에 아빠 친구는 물 위로 올라오고
아빠는 올라오시질 않더래요.

엄마는 아빠를 부르며 통곡을 하다 깨셨다고 합니다.

마음이 영 개운치 않아 꿈 얘기를 할까 하다
여자가 아침부터 좋지 않은 말을 하는 것이
도리에 어긋나는 것 같아 말을 하지 않았데요.

그런데
엄마 꿈속에서의 일은 현실이 되고 말았습니다.

아빠 친구가 투망을 들고 우리 집엘 왔고
아빠는 안고 있던 저를 할머니에게 안겨주시고
친구를 따라가셨습니다.

그날
대문을 나가시다가 다시 들어오시더니
저의 이마에 입맞춤을 하시고 나가시면서
할머니께 말씀하셨다고 합니다.

"엄니! 나 고기 잡으러 가기 싫은데
저 친구가 가자고 하니 얼른 다녀올게요."

그것이 아빠의 마지막 모습이었다고 합니다.

엄마 꿈에서처럼
아빠 친구가 투망을 던지러 들어가다가
갯벌에서 6.25때 던져놓은 불발탄을 밟았고

아빠와 다른 친구들은 내림 천 둑에 계시다가
사고를 보고 아빠가 뛰어 가셨다고 합니다.

그러다가 아빠도 불발탄을 밟으셨고요.

아빠 친구는 다리 한쪽을 잃고 목숨은 건지셨지만
아빠는 병원으로 옮겨 치료도중

결국 하늘 길에 오르셨습니다.

당시 아빠 나이 33세 엄마 30세
저는 태어난 지 한 달되었을 때였죠.

하늘이 미리 알려주셨는데 막지 못했다고
엄마는 생전에 후회어린 말씀을 자주하셨습니다.

아빠가 천명이 아닌 부명으로 가셨다는
주역을 하신 할아버지 제자의 말씀은
내 어머니를 평생 후회로 사시게 했습니다.

그리고 입버릇처럼 말씀하셨지요.

하늘이 우리에게 불행을 주실 때
피할 수 있는 길도 알려 주시는데
사람이 어리석어 그걸 깨닫지 못한다고.

당신께서 어리석어
저에게 아빠라는 단어를 모르고
살게 했다고 미안해 하셨죠.

하지만   저는
내 어머니의 사랑과 희생을 먹고 잘 자랐고

환자와 의사로 맺은 인연들이지만
많은 엄마 아빠들이 있습니다.

그리고 많은 엄마 아빠들의 사랑을 받으며
살아가고 있지요.

*아무리 아프고 힘든 과거도 그저 지나간 일일
뿐이라고 위로하기엔 너무나 아픈 내 엄마의 지난날이
오늘따라 더 가슴이 저립니다.*

7. 16년 후에 일어날 일

또 한주의 시작입니다.

쉽사리 지나갈 것 같지 않은 힘든 시절이지만
이것도 영원하지는 않겠지요.

"이 또한 지나가느니라." 라는 현인의 말씀을
상기하며 또 하루를 시작합니다.

혜암 큰스님께서 입적하신 날이 음력 3월말이어서
이렇게 꽃이 만발하고 따사로울 때는

늘 가슴 한 편에 아스라한 저림이 저를 감싸곤 합니다.

1885년 봄이었습니다.

솔직히 년도 기억보다는 그때 따사로운 햇살에
퍼붓는 천둥벼락의 느낌뿐입니다.

전화기를 타고 들려온 하늘이 무너지는 소리,
지금도 그때를 생각하면 들숨 날숨이 버거워집니다.

"빨리 와라 큰스님 열반에 드셨다"라는
송우스님의 다급한 음성은 천지를 뒤흔들었죠.

저는 입은 옷 그대로 시외버스 터미널로 달려갔습니다.

버스 시간도 맞지 않았기에 일초가 천년 같은
시간을 기다려 올라탄 버스는 내 마음과 달리
수많은 정거장을 거쳐 오후에야 수덕사에 도착했었죠.

숨을 헐떡이며 수덕사 계단을 뛰어 오르니
대웅전 앞마당 오른쪽에 사자 밥이 차려져 있었습니다.

사자 밥을 보니 큰스님이 가신 것이 실감 할 수 있었고
눈물은 감당하지 못할 정도로 흘러내렸습니다.

스님들이 무슨 말씀을 하실지 너무나 잘 알기에
울지 않으려 했지만 멈출 수가 없어 엉엉 울면서
큰스님께로 달려갔습니다.

어린아이처럼 우는 저를 보고 옆에 계시던
진오스님들께서는 말씀하셨습니다.

"큰스님께서는 열반에 드셨는데 뭘 그리 우누. "

송우스님께서는 저의 등을 토닥거리시면서 말씀 하셨죠.

"이번 생에는 큰스님과 마지막이니 작별인사는 해야지"
큰스님께서는 주무시는 듯 편안해 보이셨습니다.

큰스님께서는 늘 말씀하셨죠.

"내가 죽거든 다비식도 하지 말고 사리도 찾지 말고
거적에 말아 석유 한말 부어서 태워 훨훨 뿌리거라."라고.

하지만 큰스님의 유언은 지켜지지 않았고,
성대한 다비식이 준비되고 있었습니다.

당시 만장행렬은 역대 큰 스님 중 최다였다고 하더군요.

KBS에서는 다큐를 제작하려 다비식 촬영을 왔고
다비식 때 신비로운 해 무리를 보고 모두들 큰스님의
도(道.)의 경지에 감탄을 했었죠.

하지만 저는 큰스님 유언이 지키지 않는
다비식 참석은 의미 없다는 생각이 들어
서울로 올라와서 홀로 기도를 올렸습니다.

그날 밤 너무나 또렷한 꿈을 꾸었습니다.

꿈속에서
큰스님께서 열반에 드신 후
큰스님의 유품을 제자들이 하나씩 가져가고 있었습니다.

큰스님께서는 90년을 스님으로 사셨지만 살아생전
지니신 물건이라고는 가사장삼과 바루와 돋보기 책
그리고 주장자와 몇 가지의 생활 용품뿐이었죠.

제자들 모두 한 가지씩 지니기로 했는데
저는 빈손으로 방을 나와 계단을 내려왔습니다.

계단 아래에 쓰레기 하치장이 보였고
거기에 큰스님의 침상이 버려져 있었습니다.

그런데 침상모양이 병원 침대 모양이었어요.

생전 큰스님은 침대를 쓰시지 않으셨는데
꿈속에서의 인식은 큰스님 침상이었습니다.

꿈속에서도 생각하기를
"큰스님께서 평생을 편안히 쉬시던 침상이
왜 쓰레기장 옆에 놓여있지?
내가 가져가야지"하면서 그 침대를 들어 올리는데

가사장삼에 주장자를 짚으신 모습의
큰스님께서 나타나셔서 말씀 하셨습니다.

"그 침상을 저기 저곳에 가서 팔아라."
라고 가리키신 곳을 보자 장면이 바뀌었습니다.

인디언 모양이지만
인디언 복장은 아닌 아이들이 풀숲에서 뛰고 있었고
거기에 하얀 의사 가운을 입은 제가
아이들과 함께 뛰놀고 있었습니다.

땅은 척박하였지만 사람들은 따뜻했고
천진난만한 아이들과 뛰놀다가
잠에서 깨었습니다.

너무 신기한 꿈이다 싶었는데
놀랍게도 큰스님 다비식이 끝나고 얼마 후

꿈에서처럼 제자들이 모여 큰스님 소장품을
하나씩 가져가기로 결정하는 것이었습니다.

효명스님께서는 저에게 뭐라도 간직하라고 하셨지만
꿈에 생생하게 침상을 받았기에

이미 받았다고 말씀 드렸더니
제자스님들께서는 제가 선문답으로 답을 한줄 아시더군요.

그리고
16년의 세월이 흐른 후
남미의 인디안 마을에 봉사를 가게 되었는데
저는 너무 놀라 정신이 아찔했습니다.

16년 전인 1985년 봄날의 꿈속 장면이
그대로 눈앞에 펼쳐져 있었기 때문이었죠.

나 또한 의사가 되어 하얀 가운을 입고
그 자리에 있었고요.
꿈속에서 보았던 아이들 그 모습 그대로였고
척박한 땅도 16년 전 봤던 그대로였습니다.

몸과 맘으로 느껴오는 모든 것들이 일치했었죠.
꿈을 꾸었던 당시 저는 의과전공이 아니었고
의사가 되겠다는 생각을 해보지도 않았었습니다.

그런데 16년이라는 세월 후에 일어날 일을
큰스님께서는 꿈을 통해 제게 미리
알려주셨던 겁니다.

우리가 살고 있는 인식의 세계에서 보면
신비한 일들이 참 많이 일어나고 있습니다.

*그것은 어쩌면
참나(眞我)는 맑고 맑은 거울 같아
모든 것 을 비추어 볼 수 있는 존재이건만

단지 우리가 지은 수많은 업(業)들로 덧칠이 되어
보지 못하고 느끼지 못하는 것은 아닐까 싶습니다.*

8. 태평양 건너에서 일어난 일

꿈이란 무엇일까요.

꿈이 무엇이기에
공간이 다른 곳에서 일어나고 있는 일을
수만리 떨어진 곳에서 보고 느끼기도 하는 건
미스터리한 이야기임에 틀림없는 것 같습니다.

제가 미국에 있을 때 얘기입니다.

꿈에 오빠의 차를 하얀색 차가 와서 들이 박았고
오빠차가 시골 논고랑 같은 곳에 박혔습니다.
하얀색 차는 작은 차였고, 그곳에서 여자가 나오더군요.

놀라서 꿈에서 깨어 시계를 봤더니
한국에는 낮 시간이었기에
오빠에게 절대 자동차 몰고 나가지 말라고
전화를 했습니다.

그런데
오빠의 대답인즉

"공부 그만하고 나오게.
우리 서울역 앞에 돗자리 깔세"
무슨 말이냐고 오빠한테 물었더니

"지금 흰색 프라이드를 탄 아주머니가 내차를 박아서
보험회사에 연락하고 기다리고 있네."

이것을 어찌 설명해야 할까요.
태평양 건너에 일어나고 있는 일이
어떻게 제 꿈에서 나타난 것일까요.

*사전에 의하면 꿈이란 잠자고 있는 동안의
정신현상이라고 하는데 그럼 육체는 미국에
정신은 한국의 교통사고 현장에 있었던 걸까요.

그럼 잠자는 동안에 정신과 육체가 분리되기도
하는 걸 까요*

9. 꿈에서 본 옆집아저씨의 미래

또 다른 꿈 얘기를 얘기해 보겠습니다.

제가 붙인 별칭 영체들의 골짜기
제 땅 옆에 할머니가 농사를 짓고 있었는데
아들이 그 땅을 서울 사람한테 팔아버렸죠.

할머니께서는 돌아가시면서까지
그 땅이 다른 사람에게 넘어간 것을 한탄하셨죠.

여하튼 서울아저씨가 그 땅을 사서
땅 정리를 하는데 참 욕심스럽게 행동을 했습니다.

우리 땅과 서울아저씨 땅 사이에 작은 냇물이 흐르고
있었는데 그 도랑을 막아서 본인들 땅과 같은 높이로
흙을 부어버렸습니다.

하천부지를 본인들이 사용을 하면서
세월이 흐르면 나라로부터 싼 가격에 사들일 수 있다는 것을
알고 한 행동이었습니다.

원래는 제가 허락을 해야 사용할 수 있는데
막무가내로 밀어 붙이더군요.

그렇게 세월이 흐른 어느 날 꿈을 꾸었습니다.
서울아저씨 배가 부풀어 오르더니 펑 하고 터지고
노랗게 질려 쓰러지더군요.

그러더니 수많은 사람들이 모여들어
땅을 바둑판처럼 나누고 있었습니다.

서울아저씨가 맘에 안 들었지만 아저씨한테 말했었죠.
건강 검진 자세히 받아보시라고.
땅에 욕심 부리는 것보다 건강에 욕심 부려 보시라고.

서울 아저씨는
매년 검사하니까 걱정 말라고 하시더군요.

그리고 얼마 지나지 않아
서울아저씨는 갑자기 쓰러져 세상을 떠나셨습니다.

그리고 그토록 욕심 부리시던 땅은 경매에 넘어가
각 단지마다 주인이 달라졌죠.

그럼 꿈이란 무엇일까요.

이 꿈에 대해 많은 학자들이 연구를 하였고
지금도 연구를 하고 있지만
분명한 것은 예지몽은 있다는 겁니다.

그런데 직접적인 꿈도 있지만 간접적인 꿈도 있기에
앞으로 일어날 꿈을 꾸어도 해석을 하지 못해
일어날 일을 피하지 못하기도 합니다.

또 어떤 때는 일어날 일은 꿈에서 보고
피하려 해도 꼭 일어나기도 하는데
그것을 우리는 운명이라는 단어를 쓰기도 하죠.

*운명은 우리의 행위 절반을 지배하고
 다른 절반은 우리에게 양보한다는 명언이 생각나네요.*

10. 수호천사

천지의 흔들림보다
마음의 요동침이 더 힘든 것 같습니다.

일생을 살아오면서
죽음에 가장 근접했던 때가 있었습니다.

그때가 지금보다 맘 요동이 덜했던 것 같네요.

미국 캘리포니아 지진 강도 6.7
저는 당시 학생으로 그곳에 있었습니다.

진원지에서 조금 떨어진 곳이었는데도
잠을 자다가 누가 저를 흔들어 깨우는 것 같았고
쿵 소리가 났습니다.

내 몸이 침대에서 바닥으로 떨어지는 소리였죠.

아~지진이다 싶어서 일어나려 했지만
집이 흔들려 어지러워서 일어 날수가 없었습니다.

겨우 벽을 잡고 일어났지만 비틀거려
다시 바닥에 앉아 강아지처럼 기어서

거실로 겨우 나갔죠.

전기를 내려야 불이 나지 않겠다 싶었는데
내진 설계로 이미 전기가 차단되었더군요.

다시 방으로 기어 들어오려는데
주방의 그릇들이 떨어져 와장창 깨지고
냉장고안 물건들이 쏟아지는 소리가 났습니다.

아파트 스피커에서는 다급한 안내 방송이 나왔고
나무로 된 복도 위는 사람들의 달리는 발자국 소리와
서두르라는 말들이 여기저기서 들려 왔습니다.

대피하고 싶은 생각이 없었기에
침대아래 바닥에 반듯이 누웠습니다.

그 순간 많은 생각들이 스쳐 지나갔습니다.
그리고 죽음이라는 것에 대해 생각을 했죠.

여기서 나가지 말자. 조금 빨리 하늘로 가자
이번 생 여기서 종치고 이젠 천국에 가서 살아보자.

장편보다 단편소설을 더 좋아했기에
내 인생도 단편소설로 마무리 되는구나 싶었고
살아온 세월들이 주마등처럼 뇌리를 스쳐갔습니다.

아쉬움도 후회도 없었습니다.
나름 이번 생이 힘들고 버거웠기에

어쩌면 마지막 날이 빨리 오기를
기다리고 있었다는 생각이 들었습니다.

아파트 사람들은 안내방송 따라 공터 잔디밭으로
빠져나가고 인적 없는 아파트에는 삐지직 하면서
균열 가는 소리가 정적을 깼습니다.

계속해서 내 몸은 좌우로 흔들리고 있었습니다.

사람살이에서 두려움은
지키려는 것이 있을 때라고 하죠.

지키고 싶은 것이 없을 때는
두려움 역시 없다는 걸 머리에서
가슴으로 느끼는 시간이었습니다.

또한 목숨을 내려놓았을 때
어떤 이의 모습을 빌리던
수호천사의 보살핌을 받을 수 있더군요.

저는 그날 지진으로 인한 흔들림 속에서
내 어머니의 품속을 느꼈고
내 어머니 특유의 체취에 젖어 잠이 들었습니다.

얼마의 시간이 흐른 후
눈을 떴을 때 동쪽 창문으로
햇살이 들어왔습니다.

그다지 반갑지 않은 눈뜸이었죠.

아쉬웠지만 아직은 갈 때가 안 되었구나 싶어
엉망이 된 집안을 대충 치우고
아파트 밖으로 나갔습니다.

걷기 힘든 아파트의 어르신들은
공원까지 가지 못하고
아파트 앞 잔디밭에 있었습니다.

그들이 저를 보고 모두 놀랐죠.
너 거기에 있었나? 너 미쳤냐?
여기저기서 미쳤냐는 소리뿐이었죠.

캘리포니아 지진은 세계 뉴스를 덮었고
지진의 후유증은 대단했습니다.

3층 아파트가 2층으로 되고
2층 아파트가 단층으로 가라앉았죠.

수많은 사람들이
정신과적 치료를 받아야 했고
불안증으로 병원을 찾아오더군요.

봉사에 참여하여 환자들을 보살피면서도
현 상황을 전할 수 없었기에 걱정하고 계실
엄마가 제일 마음에 걸렸습니다.

어찌어찌 해서 전화가 되었고
엄마의 음성이 태평양을 건너 왔습니다.

"우리 딸 주님께서 보호해 주신 거 알고 있었다."
무슨 말이냐고 물었더니

꿈에서 하늘에 먹구름이 뒤덮고
비바람이 몰아쳐 나무의 뿌리가 뽑히는데

주님이 나타나셔서 저를 안아
집안으로 들어가는 꿈을 꾸셨답니다.
그래서 걱정을 하지 않고 계셨다더군요.

누구에게나 수호신은 존재한다고 합니다.
그 수호신은 가장 가까이에 있는 모습으로
우리를 보호하고 계신다고 합니다.

어떤 이에게는 할머니의 모습으로
어떤 이에게는 엄마 아빠의 모습으로
어떤 이에게는 예수님의 모습으로
어떤 이에게는 부처님의 모습으로

그때 그 시절
저의 수호신은 엄마셨고
엄마 마음의 수호신은 예수님이었던 거죠.

*종교가 없거든 믿음과 희망을 수호신으로
 삼아보라는 옛 어른의 조언이 생각납니다.*

4부

별들이 전하고픈 말들

1. 흰 도포 입으신 어르신

지금은 강남 하면 부자들의 동네로 인식되지만
당시만 해도 자곡동은 동네 앞에는 논과 밭이 있었고

전원주택 단지처럼 꾸며진 좀 근사한 단독 주택들이 있었습니다.
저희는 당시 집 뒤 담이 산과 접해 있는 집에 이사를 했었죠.

그 때는 집안에 병풍이 하나씩은 있었을 때인데
병풍을 안방에 놓으려다가 건넌방에 놓고 싶어서
건넌방에 병풍을 처 놓았습니다.

그리고 이사한 첫날밤 너무나 또렷한 꿈을 꾸었는데
병풍 뒤에 하얀 도포를 입으신 할아버지가 누워 계셨습니다.
지금도 그 모습을 그리라면 그릴 수 있을 정도로 또렷한
모습이었습니다.

아침에 엄마에게 간밤 꿈 얘기를 했더니
엄마는 아무말씀도 하지 않으셨고
저녁때 밥을 먹으면서 엄마가 말씀하시더군요.

엄마도 꿈에서 건넌방에 웬 영감이 누워 있는
꿈을 꿔서 찝찝했었는데

제가 꿈 얘기를 해서 뭔가 있구나 싶어
아무 말씀도 하지 않으셨다고 했습니다.

그런데
낮에 옆집 원주민 할머니가
"이사 와서 좋은 꿈꾸었냐."고 물으셔서
꿈 얘기를 했더니 할머니가 놀라시면서 하시는 말씀인 즉.

집을 지으려고 땅을 팠는데 무연고 묘가 하나 나왔었고
우리 집 그 방 그 자리였다고 하시더랍니다.

엄마는 교회 권사님이셨지만 평상시 꿈이 영험 하셨고,
또 저를 전적으로 믿어주셨기에 저의 제안을 받아들이셔서
제가 아는 스님을 모셔다가 천도 기도를 해드렸습니다.

물론 그 후로 그런 꿈은 꾸지를 않았죠.
어찌 수십 년 전에 묻힌 어르신의 모습이
나와 엄마 꿈에 나타났을까요.

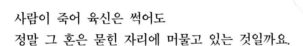

사람이 죽어 육신은 썩어도
정말 그 혼은 묻힌 자리에 머물고 있는 것일까요.

*영혼은
 육체에 깃들어 마음의 작용을 맡고 생명을 부여하는
 비물질적인 실체이며, 신령하여 불멸 불사하는
 정신이라고 합니다.*

2. 어린 영가

살아가면서
누구나 꿈의 영험함을 경험하기 때문에
특별하지 않지만 시절이 힘들기에 함께 힘내시자고
저의 경험을 적어보고 있습니다.

아시안게임이 있던 해였던 것으로 기억합니다.
소속은 강남구이지만 비닐하우스만 존재했던
내곡동 이라는 곳에 터를 잡았던 적이 있습니다.

양재 전철역에서 버스를 타고 내곡동에 내리면
오른쪽 언덕위로 가구 공장들이 즐비해 있었죠.
주로 나환자였던 분들이 거기 살고 있었습니다.

길을 건너면 비닐하우스 촌이 있었고
그 가운데 건물이 하나 있었죠.

창고에 방을 만들어 잠도 자고
동네 구멍가게 역할을 할 수 있는 곳이었습니다.

길 건너 가구공장 직원들과 하우스 인부들에게

막걸리도 팔고 먹을거리를 팔았던 곳이었죠.

의료 봉사를 목적으로 그곳에 터를 잡았던 겁니다.

그곳에 터를 잡고 주말에는 의료 봉사를
하고 있었습니다.

토요일 밤은 학생들이 많았기에

여자봉사대원들은 난방이 되는 방에서 잠을 잤고
남성대원들은 창고 방에서 잠을 잤습니다.

저는 일상에서 주로 했듯
다른 봉사 대원들이 일어나기 전
멸치국물에 김치 송송 썰어 넣어
해장국으로 아침을 준비하고 있었습니다.

늘 상 깨워야 일어나는 대원들인데
그날은 대원 중 한사람이 웬일인지 일찍 일어나서
집 뒤에 있는 작은 숲으로 올라가더군요.

잠시 뒤 돌아온 대원의 얼굴이 파랗게 질렸지만
애써 태연한 말투로 내게 말했습니다.

"제가 간밤에 꿈을 꾸었는데요.
발가벗은 어린 아이가 보여줄게 있다면서
저를 데리고 저위 동산으로 갔어요.

아이를 따라갔는데 나무 옆을 가리키면서
여기가 자기 집인데 사람들이 부숴버렸다고
집을 고쳐 달라고 했어요.

그래서 지금 꿈에서 갔던 길로 가봤는데
꿈속에 본 그 나무가 있어요.
그리고 아이가 가리킨 곳 주변엔
깨진 항아리 조각들이 있었고요."

깨진 항아리?
그 옛날 아이가 아주 어릴 때 홍역이나 역병으로 죽으면
항아리에 넣어 나무 밑에 평장한다는 얘기를 알고 있었기에

하던 일을 멈추고 대원과 함께 야산으로 가서
장소를 확인했습니다.

거기에는 깨진 항아리만 있었고
안에는 어떤 물체도 없었습니다.

집으로 돌아와 대원들을 깨워서 상황을 설명하고
아이의 영가 천도를 결정했죠.

대원들이 각자 할일을 분담하였기에
준비는 일사천리로 되어갔고
巳時에 맞춰 기도를 하게 되었습니다.

아이가 좋아할 만한
장난감과 사탕 과자를 사오고

아이 옷도 준비했습니다.

천도 형식은 알지를 못했고
정성이 중요하다 생각했기에
대원들이 돌아가면서 아이에게 한 마디씩 했습니다.

"아가야. 여기는 이제 너의 집이 아니란다.
어서 여기를 떠나서 좋은 곳에서 행복하거라."

"아가야. 여기서 우리가 만난 것도 인연이니
얼른 다시 태어나서 우리랑 다시 만나자"

"아가야. 그동안 얼마나 춥고 힘들었나.
이젠 따뜻하고 예쁜 옷 입고 하늘나라의 천사가 되어라."

"아가야. 배고팠지. 이젠 배불리 먹고
건강하게 태어나서 다시 만나자"

"아가야. 우리 꼭 다시 만나자."

등등 대원들이 한마디씩 하는 것으로
천도 문을 대신 했습니다.

그렇게 저희 대원들은
새로 마련한 봉사 장소에서
특별한 신고식을 하였습니다.

수십 년의 세월이 지난 지금

어쩌면 내 곁의 어떤 이가
그때 그 아이일 수도 있겠다는 생각을
가끔 합니다.

*인연한 우리의 과거와 미래를 연결하는 고리이기에
모든 이들을 귀하게 여기고 감사하며 살아하지 않을까 싶네요.*

3. 시끄러워 살수 없구나

여기 유택에 얽힌 얘기하나 소개하겠습니다.

선배의 집안 이야기입니다.
고향은 경상도 인데 검사장이신 아버지의 발령으로
온 가족이 고향을 떠나 서울로 이사를 온 상태였답니다.

어느 날 아버지 꿈에
그 선배의 증조할머니가 나타나셔서 말씀하시더랍니다.

"야야. 기계소리 때문에 시끄러워 잠을 잘 수가 없구나.
이 소리 좀 안 나게 해다오. "

꿈에 대해 특별한 의미를 두지 않으시는 아버지는
꿈은 꿈일 뿐이라며 그냥 넘기셨답니다.

그런데 몇 칠이 지난 어느 날 밤 다시 꿈을 꾸셨습니다.
"야야. 시끄러워 못살것다. 어찌 좀 해보그라"라고
애원하듯 말씀하시더랍니다.

똑같은 꿈을 두 번씩 꾸신 아버지는

사람을 시켜 산소에 가보라고 했답니다.

그런데 산소 옆으로 도로가 나고 있더랍니다.
땅을 파고 트럭이 들락거리며 정신이 없더래요.

증조할머니 돌아가신지 60년이 더 넘었는데
영혼은 그곳을 집으로 여기고 살고 계셨던 걸까요?

어떻게 자손의 꿈에 나타나서 유택의 상황을 알렸을까요?

사람이 죽어 몸이 땅에 묻히면
그 영혼은 그곳이 자신의 집이라 느끼며 살아가는 걸까요?

영혼이 그곳에 살고 있기 때문에
유택의 상황을 자손들에게 알리는 것일까요?

*유택이란 유골을 모신 장소를 일컫는 단어입니다.
 돌아가신 조상이 편해야 자손도 편하다는 옛 어른들의
 말씀이 생각납니다.*

4. 춥다 추워

또 하나의 유택에 대한 얘기입니다.

동료의사의 얘기입니다.
할아버지가 돌아가셔서 지방에 있는
선산으로 모셨답니다.

49제를 몇 칠 앞둔 날 아버지 꿈에 나타난 할아버지는
옷이 흠뻑 젖어 "춥다. 추워. 하시며
덜덜 떠시고 계시더랍니다.

집안이 천주교였기에 그 꿈을 무시해 버렸데요.

그런데 몇 칠 뒤 다시 꿈속에서 할아버지가
파랗게 질려서 물속에서 춥다고 떨고 계시더래요.

아버지가 할아버지에게 추우면 나오시지
왜 그렇게 물속에 계시냐고 했더니 나갈 수가 없다고
꺼내달라고 하시더랍니다.

아버지는 꿈에서 깨자마자 급히

지관을 모시고 자식들과 선산으로 내려가
무덤에 구멍을 뚫었더니 물이 솟아 흐르더랍니다.

그 자리는 비가 오면 생수가 솟아오르는 자리였기에
옆으로 유택을 옮겨 드렸답니다.

49제를 지내고 아버지는 또 꿈을 꾸셨답니다.
꿈속에 할아버지가 "아이고 고슬 고슬 좋다"고 하시더랍니다.

*그럼 이건 뭘 의미 하는 걸까요?
죽으면 천당으로 가든지 지옥으로 간다고 배워왔는데
할아버지는 그곳에 사시고 계셨던 걸까요?*

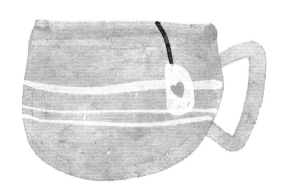

5. 하늘가는 꽃가마 타신 엄마

오늘은 엄마를 보내며 정신없이 겪었던 일들을
적어 볼까 합니다.

엄마는 심근경색으로 급하게 하늘가는 가마를 타셨습니다.
가신 엄마도 남은 가족도 준비 없이 떠나고 떠나보내야 했죠.

천붕지함, 하늘이 무너지고 땅이 꺼진다는 말이
내게 현실로 다가 왔죠.

환자는 살뜰하게 보살폈으면서 내 엄마에게는
그리 못하고 그렇게 가시게 한 것에 대해

의사로써 딸로서 감당하기 힘든 죄책감에
정신을 차릴 수가 없었습니다.

마음공부 수십 년이 아무 소용이 없더군요.

엉겁결에 장례를 치러졌고 내 엄마는
한줌의 재가 되어 내 앞에 오셨었죠.

생전 말씀이 선산에 묻지 말고 화장시켜 뿌리라고 하셨지만
차마 그럴 수가 없었기에 엄마의 유골을 껴안고
몇 날을 함께 지냈습니다.

출근할 때 "엄마 나 다녀올게" 퇴근해서
"엄마 나 다녀왔어." 하면서 살아있는 엄마를 대하듯 했죠.

그리고 엄마를 졸랐었죠.
"엄마 나 지금 잠자고 일어나지 않게 해줘.
엄마 곁에 가게 해줘."

그렇게 날이 가자
제가 그리 애통해 하면 엄마가 못 떠나신다고.
엄마를 보내 드리라고 하더군요.

나 또한 그걸 모르지 않았지만.
엄마의 뼈 가루라도 붙들고 있어야
숨을 쉴 수 있었습니다.

나중에는 오빠가 엄마를 모시고 있다가
하늘공원에 모셨습니다.

최고로 좋은 자리에 최고로 비싼 곳에
엄마를 모셨지요.

엄마를 추모공원에 모시던 날
주변을 감싸고돌던 기운은 지금도 잊을 수가 없습니다.

엄마를 그곳에 모셔놓고 집으로 돌아오는 마음이
수용소에 엄마를 던지고 오는 기분이었죠.

밤새 엄마 꿈을 꾸다 이른 새벽 엄마를 찾아갔지만
추모 공원 문이 닫혀 들어갈 수가 없더군요.

그날 퇴근 후에 다시 엄마에게 갔지만
이미 문이 닫혀 있었고요.

당시에는 이성은 사라지고 감성만이 존재해서
문 닫고 여는 시간도 알아보지 않고 무조건
엄마에게 달려갔던 거죠.

엄마를 하늘공원에 모신지 4일이 되던 날 꿈에
엄마가 옥색 치마저고리를 입으시고

그곳에서 걸어 나오셨습니다.
저는 엄마 손을 잡고 엄마가 사시던 곳으로 갔습니다.

집에 도착하자 엄마는 사라지고
저는 엄마를 부르며 손을 허공에 젓다가 깨어났습니다.

그리고 몇 칠 후 하늘공원에서 엄마를 모시고 나왔습니다.
당시 추모공원 직원이 말하는 경제적 손실 같은 건
아무 의미가 없었죠.

가족들도 저의 의견에 따라주셨기에

엄마가 사셨고 제가 꿈을 키워온
황유골에 엄마를 모셨습니다.

그리고 그 날 밤 다시 꿈을 꾸었습니다.

엄마가 누워 계시고
저도 그 옆에 누워 있는 꿈이었죠.

저는 시간만 되면 엄마한테 달려갔습니다.

엄마 옆에 앉거나 누워
한 주일동안 있었던 얘기들을 하죠.

속상했던 일, 좋았던 일, 엄마도 알고 지내던
환자얘기도 합니다.

그리고 나의 마지막 날을 생각해보며
엄마 곁에 자라고 있는 나무들에게 말하죠.
"언제일지는 모르겠지만 너의 거름이 되어줄게" 라고.

이승을 하직함이 급하면 저승길 오름이
쉽지 않다고 합니다.
그건 아마도 떠나는 이도, 보내는 이도
준비가 되지 않아서겠지요.

올 때는 순서가 있지만 갈 때는 순서가 없다는
옛 어른의 말씀처럼

언제 어느 때 나의 사랑하는 사람이 그리고 내 자신이
하늘가는 꽃가마에 올라탈지 모르기에

어느 시인의 이야기처럼 언제 어느 때 죽음을 통한
이별을 택배로 받을지 알 수 없기에

매순간을 마지막인양 좋은 인연 만들고
선한 일 많이 하며 살아가야 하지 않을까싶습니다.

5부

행동과 습관이 운명이 된다

아무리 나쁜 사주 팔자여도
기도로 바꿀 수 있고

관상 수상 족상 중
제일은 심상 즉 마음상이라는

옛 어른의 말씀을 상기하시면서
읽어주시길 바랍니다.

1. 사주팔자

선배 언니의 이야기입니다.

선배가 태어나고 이웃의 할아버지께서 사주를 뽑아보시더니

머리가 좋아 공부를 잘 하지만 본인이 성공하지 못하고
평생 남편 의지하며 타국 생활을 할 것이라고 했답니다.

물론 부모님은 기분 좋지 않은 이야기였기에 믿지 않았었답니다.

선배언니는 초등 중학 모두 공부를 아주 잘하였습니다.
고등학교 시험 시절 여고에서도 전교 5등 안에 들었었는데요.

대학도 좋은 대학 좋은 과에 입학을 하여
우수한 성적으로 졸업을 앞둔 어느 날 일이었습니다.

언니가 좋아한 사람을 집안에서 반대했기에
가족들 몰래 절에 가서 단둘이 결혼식을 하고
단칸방 신혼살림을 차렸습니다.

그리고 3년 후 남편이 미국 지사로 근무지를 옮겼고

언니는 남편 따라 지금도 타국에서 살고 있지요.

능력 있는 선배언니는 전업주부로 평생을
남편 뒷바라지만 하면서 살고 있습니다.

언니는 평생을 팔자타령을 하면서 살더군요.

"아이고 내 팔자야 내 팔자야 하면서요."

그러면 선배 언니는 정말

정해진 사주팔자대로 살아가는 것일까요?
아님 스스로가 팔자에 맞춰 버린 걸까요?

*행동이 바뀌면 습관이 되고 습관이 바뀌어
 성격이 되기에 성격이 바뀌면 팔자가 바뀐다는
 옛 사람의 애기를 상기 해 봅니다.*

2. 한여름 밤의 이야기

매년 여름이면 주문진과 죽변 울진을 돌면서
봉사를 하던 시절 얘기입니다.

주문진 바다와 연결되어 있는 마을이 있었습니다.
바닷가에 몇 채의 집이 있었죠.

필요한 물품들을 보관하고 선발대원들 숙소로
마을의 맨 끝에 방 하나를 마련했었습니다.

주인집엔 할머니 할아버지 두 분이셨죠.
저는 봉사대원들이 도착하기 하루 전에
그곳에 가서 바다를 보며 모래밭에서
바다를 보며 묵상을 하고 있었습니다.

해변에서 40미터쯤(확실한 거리는 아님) 되는 곳에
넓죽한 바위가 바닷물 위로 올라와 있었습니다.

자꾸만 그 바위가 마음에 들어오더군요.
반수반개로 앉아서 묵상을 하다 눈을 떴는데

그 바위 주변에 물이 휘돌더니
사람 손이 물결 따라 허우적거리고 있었습니다.

놀라서 눈을 비비고 다시 보니 아무것도 없더군요.

저녁때 서울에서 챙겨간 음식들을 주인집 어르신들과
나눠 먹으며 낮에 잠시 본 환상 얘기를 했죠.

어르신들은 "가끔 앞바다에서 사고가 나긴 하지"라고
말씀하시더군요.

다음날
봉사대장과 대원들이 도착했습니다.

대원들이 바다 속 바위를 보자
그곳 바위에 가보자고 했습니다.

저는 어제 잠깐 본 환상을 얘기하고
절대 가면 안 된다고 막았죠.

대원들은 바다에 들어가지 않고
해변에서 공놀이를 하다가 봉사 준비를 했습니다.

다음날
봉사 마무리를 하고 덕구온천에 들렀다 마을로 돌아오는데
주인 할아버지가 급한 걸음으로 오셨습니다.

피서를 온 사람들이 바위까지 가보고 싶다고 해서

위험하니 가지 말라고 말리셨답니다.

그들은 알았다고 했고, 할아버지는
마을 뒤 길 건너 텃밭에 다녀왔는데

한사람이 바위까지 헤엄을 쳤고
그곳에서 허우적거리는 것을 보고
일행들이 구하러 갔지만 너무 늦었다고 했습니다.

저는 마음이 너무 좋지 않았습니다.
미리 보고 꿈꾸어도 일어날 일은 막지도 못하고
그저 미리 본 것 이외에 아무 역할도 못함이
마음을 아프게 했습니다.

마을 어르신들은 그런 일을 가끔 봐서인지
물에 빠져 죽는 것도 팔자이니 너무 맘 상하지 말라고
하시더군요.

때론 상대가 하는 위로가 더 맘을 편치 않게 한다는 것을
느끼는 여름밤이었죠.

밤늦도록 검은 바다를 바라보며 기도를 하고 있는데
주인 할아버지가 오셔서 말씀하셨습니다.

"이전에 거기서 물에 빠져 죽은 영혼이
이제 하늘로 올라가겠구먼."

"다음에는 누가 또 저 자리를 대신하려나."

"다 그것도 팔자여"

"아가씨가 했던 얘기가 생각나서 그 젊은이에게
절대 바위에 가지 말라고 말렸는데 결국 자기 팔자니까
지발로 걸어 들어 갔잖어."

"팔자 도망은 부처도 못 한다 잖어"

정말
할아버지의 말씀처럼
어릴 때 들었던 물귀신 얘기처럼

물에 빠져 죽은 사람은 귀신이 되어
다음 사람을 불러들이는 것일까?

할아버지의 물귀신 얘기는
누에가 실을 뽑듯 끝이 없었고

여름밤은 생각에 생각을 덧칠하며
하얗게 깊어만 갔습니다.

3. 운명은 정해진 것일까

옛 속담에
"팔자 도망은 독 안에 들어가도 못 피한다."는 말이 있습니다.
여기서 팔자란 사주팔자를 칭하는 말이죠.

속담에 물에 빠져 죽을 가련한 팔자가
물가에는 가지 않았는데도
"접시 물에 빠져 죽더라."는 얘기도 있습니다.

어릴 적 일입니다.
장마철에 동네 앞 도랑의 커다란 웅덩이 물에서
아이 머리가 올라왔다 가라앉았다 하고 있었습니다.

아이가 죽어 가는데 주변을 둘러봐도 아무도 없었습니다.
저는 무서워 울면서 물에 들어갔죠.

축 처져있던 아이를 끌어내어
길 위에 올려놓고 어찌할지를 몰라 울고 있는데
동네 어른들이 모여들었습니다.

아이는 어른들에 의해 옮겨졌고
저는 옆집 아제 등에 업혀 울면서 집으로 갔었죠.

수십 년의 세월이 흘렀는데도
그때의 장면을 그림으로 그리라고 해도 그릴 수 있을 정도로
큰 흔적으로 남아 있습니다.

그 후 그 아이 집안은 서울로 이사를 갔습니다.
저도 중학교 1학년 때 서울로 왔죠.

그리고 몇 년 후 들려온 소식은
아이가 뚝섬에서 물놀이를 하다 익사를 했다는 겁니다.

덧붙여 들리는 소문은
아이 팔자가 물에 빠져 죽을 팔자였다더군요.

어른들은 그 아이의 얘기를 하면서
팔자 도망은 못한다는 옛말이 맞다 고 하더군요.

타고난 사주팔자는 바꿀 수 없다는 속담이 있습니다.

하지만 "팔자는 자신이 만들의 간다."는 속담도 있죠.

그건 아마 운의 흐름이 있기에 나온 말이 아닌가
하는 생각을 해봤습니다.

천지의 기운은 머무름 없이 흐르고 있죠.
어느 누구든 평생 동안 좋지 않은 운만 만나지는
않을 것이며 평생 동안 좋은 운만 만날 수도 없습니다.

하여,

사주팔자를 알고 운의 흐름을 안 다는 것은
장군에게는 창과 방패요
농부에게는 땅과 씨앗이 아닐까 싶습니다.

사주를 알고 운의 흐름을 안다면
봄이면 씨앗 뿌리고, 여름의 성숙을 기다리며,
가을의 거두어들임과 겨울의 저장의 순리를 지킬 수 있겠지요.

천지의 이치를 알고 순리에 맞게 살아가는 것.
그 길은 어렵고도 두려운 길이지만
그 길을 향해 오늘도 한걸음씩 다가가 보십시다.

*운명이란 하늘이나 신이 모두 지배하는 것이 아니라
  각자가 운명의 씨실과 날실을 얽어간다는 말을
  상기시켜봅니다*

4. 팔자와 관상

오늘은 팔자와 관상에 대해 한번 생각해 볼까 합니다.

팔자란 무엇일까요. 관상이란 무엇일까요.
그건 아마 전생에 지어놓은 업의 기운이 아닐까
하는 생각을 해봅니다.

여기 한 소년의 실제 이야기를 적어봅니다.
소년은 산골에서 태어나 초등학고 4년을 마치고
면소제지의 의원에 머슴으로 들어갔습니다.

 소년의 아버지 말씀이
"이제 언문(한글)을 띄었으니
돈을 벌어오라"고 하셨답니다.

소년은 동네 의원에서 먹고 자며 청소하고
입원환자들을 위해 땔나무도 하며 자랐답니다.

그러던 어느 날
병원 앞을 쓸고 있는데 지나가던 스님이
물 한 모금 달라고 하셔서 물을 드렸데요.

스님은 물을 마신 후 소년의 얼굴을 다시 빤히 보시더니.
"너의 관상을 보아하니 앞으로 의사가 될 상이구나 "
하시고 가던 길을 가셨답니다.

소년은 원장님 옆에서 병원일 보조를 하면서 의술을 배웠답니다.
그렇게 의료 보조를 하며 청년이 되었고
긴 세월 병원에서 일을 하였답니다.

그리고 의사검정고시(?)를 봐서 의사가 되었죠.
당시에는 한지의사(限地醫師)제도라는 것이 있었다고 합니다.

의대를 나오지 않아도 시험을 봐서 합격을 하면
특정 지역에서만 진료를 하는 제도인데 그 제도에
탑승하여 의사가 되었던 거죠.

그럼 그 소년의 관상이 의사였기에 의사가 된 것일까요?
아님 스님의 말대로 자신이 의사가 될 것을 믿고
열심히 의료 일을 배웠기에 기회를 잡을 수 있었을까요?

*우리가 생각하는 것 말하는 것 행동하는 것
 이 모든 것들이 운명을 만든다는 옛 말이
 오늘따라 가슴에 다가오네요.*

(한지의사란 일제강점기에 시작한 제도로
 의사 부족을 해결하기위해 만든 제도였데요.)

6부
하늘가는 길에 마중나오는가.

Je t'aime

PARIS

1. 마중 나온 언니

이른 아침 마늘을 까서 손가락에
습진이 생긴 환자가 왔습니다.

마늘 까는 이 시절이 오면
생각나는 사람이 있습니다.

환자와 의사로 맺은 인연인데
매년 이맘때면 마늘을 까서 빻아

작은 통에 12달분을 나누어 담아
가지고 오시던 분이 계셨지요.

냉동실에 넣어놓고 한 개씩 꺼내 먹으라며
사랑까지 담아오시던 엄마의 이름은 차봉염
그래서 저는 봉염엄마라 불렀습니다.

묵묵 하시면서도 정이 많으셔서 반찬을 한 가지를 만드셔도
언제나 제 몫을 따로 담아 가져 오셨지요.

당시 오빠 집 에서 사시던 제 어머니가 병원 옆으로 오셨을 때

내 엄마와 봉염엄마는 언니 동생하기로 하셨습니다.

그런데 언니동생 삼은 지 몇 달 지나지 않아
제 어머니가 하늘의 별이 되어 버리셨지요.

봉염엄마는 언니 생겨서 너무 좋았는데
이렇게 가버렸다고 많이 우셨습니다.

어머니를 보내고 밥알이 목으로 넘어가지 않았을 때
봉염엄마는 이른 아침 죽을 끓여 오셨습니다.

꿈에 언니가 나타나서 "우리원장 밥 못 먹으니
동생이 죽을 좀 쒀다 주게나." 하시더랍니다.

다음날도 꿈속에서 "우리원장 녹두죽을 좋아한다네."
하셨다고 녹두죽을 쒀 오셨더군요.

봉염엄마는 꿈속에서 언니가 시키는 대로
여러 차례 죽을 끓여 오셨습니다.

산사람은 산다는 옛 말처럼 세월이 지나자
목으로 밥알이 넘어가기 시작하더군요.

그런데 너무 신기하게도 엄마가 해주는 반찬이 먹고 싶을 때
두 번에 한번 꼴은 그 반찬을 해오셨습니다.

그리곤 늘 말씀하셨죠. "언니가 꿈에서 말해준 반찬이여."

그렇게 4년을 지낸 어느 늦가을
봉염엄마가 반찬을 해서 절뚝거리며 오셨습니다.

그리고 제 손을 꼭 잡고 말씀하셨죠.
"아마도 이게 내가 해주는 마지막 반찬일 것 같구먼."

"어제 밤에 언니랑 예쁜 옷 입고
둘이서 손잡고 꽃밭에서 뛰어 놀았어"

"꽃들이 끝도 안보이게 피어 있었어."
"아마 나도 언니 있는 곳으로 갈 것 같구먼"

몇 칠 후 봉염엄마는 갑자기 쓰러지셔서
입원을 하셨습니다.

병원생활이 얼마쯤 지났을 때
평소 잣죽을 즐겨 드셨기에 퇴근길에 사다 드렸지만
드시지를 못하셨습니다.

그날 밤 자정 무렵
봉염엄마는 머나먼 여행길에 오르셨지요.

눈뜰 힘도 없으신 봉염엄마의 앙상한 볼에
내 볼을 부비 대었던 것이 엄마와의
작별인사가 되어 버렸습니다.

우리가 흔히 말하기를
병환중인 분이 돌아가신 분과 만나면

저승길 같이 가신다고 하는데

정말 돌아가신 분이 마중 나오는 걸까요?
아님 본인 스스로 떠날 것을 무의식속에서 아는 것일까요?

봉염엄마는 사랑을 주시고 이별이라는 아픔도 주시고
하늘 꽃동산에서 언니와 함께 뛰 놀고 계시겠지요.

*사랑한 만큼 이별의 아픔이 깊다는 것을 알지만
 사랑했고 사랑하고 또 사랑하렵니다. 나의 인연들을.*

2. 마중 나온 전우들

선배 아버님은 참전용사셨습니다.
백골부대의 일원으로 끝까지 나라를
지키기 위해 목숨 걸고 싸우셨지요.

그래서 대전 현충원에 잠드실 수 있는
자리가 마련되어 있었습니다.

아버님이 위암으로 병마와 싸우고 계시던 어느 날

간밤에 현충원에 있는 전우들이 마중 나오는 꿈을 꾸셨다면서
곧 떠나야 할 것 같으니 유언을 남기겠다고 하시더랍니다.

자식들 하나하나에게 유언을 하시고
이틀째 되던 날 하늘 사다리 올라
하늘의 별이 되셨습니다.

아버지에게 수십 년 전 함께했던 전우들이
마중 나온 것일까요?

아니면 아버지 내면속의 전우들이 마중 나온
것일까요?

3. 마중 나온 가족

작은오빠는 37살에 사고로 부인과 두 아들을
하늘나라에 먼저 보냈습니다.

그때 사고로 작은 오빠가 긴 세월동안
지방에 있는 병원에 계셨는데 위독하다는 연락이 와서
큰오빠 내외가 급히 내려갔고 저는 그 뒤에 내려갔었죠.

작은오빠 위독하다는 사실을 엄마에게 알리지 않았고
작은오빠 면회 간다는 말만 하고 내려 가셨고
저는 작은오빠를 보러 간다는 말은 하지 않았었습니다.

엄마가 힘들어 하시는 시간을
조금이라도 줄여드리고 싶었기 때문이죠.

우리가 내려갔을 때 작은오빠는 이미 요단강을 건너버리셨고
급히 장례 치를 준비를 하면서도 차마 엄마에게 임종 사실을
알릴 용기가 나질 않더군요.

밤늦게 큰오빠가 엄마한테 전화를 하셨습니다.

작은오빠랑 함께 있다가 구경 좀 하고 올라가려고 하니

이틀은 걸리겠다고 말하시더군요.

전화기를 타고 들리는 엄마의 음성은
가슴 미어지는 떨림이었습니다.

"나 다 알고 있다."
"몇 칠 전 꿈에 애미랑 현우랑 진우가 마중 나와서
아빠 왜 이렇게 늦게 왔냐면서 손잡고 가더라."

큰오빠가 작은오빠 면회 간다고 할 때 엄마는 이미
알고 계셨다고 했습니다.

서영이도 거기 가 있는 것 안다고 하시면서
잘 치르고 오라고 하셨습니다.

정말 조카인 현우와 진우 그리고 올케언니가
작은오빠를 마중 나왔을까요?

아님, 엄마 생각이 꿈에 반영 되어
마중 나온 모습이 보인 것일까요?

어떻든 엄마는 미리 마음 준비를 하셨던 것 같아
우린 조금은 맘 편히 작은오빠를 보낼 수 있었습니다.

*부모는 자식을 가슴에 묻는다는 말이 있지만
 자식을 보낸 어미의 가슴은 허공처럼 뻥 뚫린 것 같아
 바람이 횡횡 분다던 내 어머니 말씀이 아프게 다가옵니다.*

7 부인연나무 가꾸기

1. 원인 없는 결과는 없지요.

원인 없는 결과는 없듯이

지금 내가 하고 있는 생각하나 말 한마디
행동 하나 하나는 무의식 세계에 저장 되어
다음 생을 준비하고 있는 것이라고 합니다.

그래서 현생을 보면 전생을 알 수 있고
다음생도 알 수 있다는 말이 있는 것 같습니다.

우리가 살고 있는 이번 생이
전생의 악업을 소멸시킬 수도 있고

또 다음 생을 위한 선업을 쌓을 수도 있는
소중한 나날들이라는 생각을 하면서
오늘을 시작합니다.

2. 희망을 주는 말

이른 아침 동생처럼 생각하는
단골 환자에게서 전화가 왔습니다.

답답한 일들이 자꾸 생겨
용하다는 점집엘 갔는데

천도 안 된 조상들이 많아서
아들도 아프고 안 좋은 일들만 생긴다고
천도 굿을 하라고 하더랍니다.

아들은 조울증으로 오래전부터
정신과 약을 복용중이였죠.

조울증이 천도 안 된 조상 탓이라는 건
말이 안 되는 얘기지만 동생 뇌리 속에는
그 말이 이미 큰 또아리를 틀고 있었습니다.

무당의 말 한마디가 또 다른 답답함을 안겨 준거죠.

하자니 돈이 너무 많이 들어서 힘들고

안하자니 혹 아들이 좋아지는 일을 안 한 건 아닌가
하는 생각이 들어 마음에 걸린다고 하더군요.

마음에 걸린다는 표현보다 어찌 해야 할지
고민을 너무 해서 꿈에서 조상들이 달려들어
가슴을 짓누르기까지 한다고 했습니다.

점집에 다녀오기 전까지는
평생 꿈에 나타나지도 않던 조상들이었다더군요.

점집을 찾는다거나
앞날을 보러 가는 사람들 대부분은
삶의 무게가 버거워서 견디기 힘든 사람들이죠.

그래서 상담해 주는 사람의 말 한마디에
희망의 밧줄을 잡을 수 있고
절망의 외길로 들어 설수도 있습니다.

상담해주는 사람의 말 한마디는
삶에 지친 이들의 무거운 짐을 가볍게 느끼게도
또는 그 짐의 무게에 짓눌려 모든 걸 포기하게도 하죠.

옛말에 좋은 말은 좋은 인생을 만든다는 말도 있고

禍從口出(화종구출)
모든 재앙은 입으로부터 나온다는 말도 있습니다.

세상의 제일 무서운 무기는 입(口)이고

세상에서 가장 유능한 치료약도 바로 입(□)입니다.

그래서 옛 어른들 말씀하시길
자신의 행복과 불행한 운명은
바로 자신의 입에서부터 시작된다고 하셨나 봅니다.

우리는 지금
여기 저기 난무하는 언어폭력의 홍수 속에서
상처받고 상처를 주며 살고 있습니다.

오늘 이 순간 나 하나부터라도
다른 이의 가슴에 바윗덩어리 얹어주는 말이나
상처 내어 후비는 말이 아닌 희망 담은
따뜻한 말을 해보시면 어떠실까요.

특히 사람의 미래를 보는 직업이나
정신적 지도자의 자리에 있다면

자신의 이익보다는 힘든 이들의 짐을 덜어주는 것부터
생각해야 하지 않을까 싶습니다.

*사람과 언어와 삶은 삼위일체라는 말이 있습니다.
 아름다운 사람은 고운 말을 하고 고운 말을 하는 사람은
 아름다운 삶을 사는 것 아닐까 싶습니다.*

3. 대접 받고 싶은 대로 대접하라

오월은 가정의 달

여기저기서 가정의 달이라며
행사이름 붙이기에 바쁜 것 같습니다.

그러나 진찰실 창문에 비친 모습은
가슴을 아프게 만드니 웬일일까요.

언젠가 여성단체 모임에서
슬픈 세상풍자 얘길 들은 적이 있습니다.

"어떤 며느리가 효도관광으로 시어머니를 모시고
예루살렘 성지 순례를 갔답니다.

그런데 불의의 사고로 시어머니가 그곳에서 돌아가셨고,
며느리는 급히 한국의 남편에게 전화를 걸어서
시어머니를 모시고 갈 테니 장례준비를 하라고 했데요.

남편이 말하길 그 먼 곳에서 어머니를 모시고 오려면
비용도 많이 들고 번거로우니 성지인 예루살렘에서
장례를 치르자고 하더랍니다.

며느리는 절대 안 된다고 꼭 모셔 가야 한다고 하더래요.

남편은 왜 꼭 모셔오려고 하느냐고 물었데요.

그때 며느리의 대답?
"부활 하실까 봐서......."

세상사 잘 살건 못 살건 나이는 먹는 것이고
영원한 청춘은 없다고 말들은 하지만

나는 예외인 듯 생각하고 행동하죠.

노후를 준비 한다 함은

자식 교육시켜 시집장가 보내고
집도 한 채쯤 마련해 주고.

나이 들어 쓸 만큼 경제적으로 저축하고
육체적으로 운동하여 건강을 지키려하고.

그것만이 모든 것 인양
10년 계획 20년 계획 세우고 있을 때

부모님은 이미 하늘의 별이 되어 계실 텐데
10년 20년 계획에서 부모님의 자리는 어디에
얼마만큼의 크기로 존재하고 있는 걸까요.

내 가슴속
내 자식의 자리는 온 지구보다 더 넓은데
내 부모님의 자리는 송곳 꽂을 땅만큼이라도 있는지
되돌아 봐야 하지 않을까 싶은 계절입니다.

어쩌면
지금 내가

지금 내 마음이

우리 부모를 위하고
우리 부모의 편에서 생각하는 것이
나의 노년을 준비 하는 것은 아닐까요?

자식들은 부모의 언어와 행동을
답습한다고 합니다.

내가 어디에서 왔는지 하늘에서 떨어진 것도
땅에서 솟은 것도 아니요

내 부모에게서 피와 살을 빌어 이 생명이 형성 된 것을
다시 한 번 생각해야 할 때가 아닌가 싶습니다.

내 부모 평생 나를 위해
피와 살을 말리셨음에도

우선은 내 자식 내 아내
우선은 내 새끼 내 남편 하는 마음

조금만 더 부모님께도 나누면
얼마나 아름다운 세상이 될까요.

오늘은 유난히도
탈무드에 나오는 구절이 생각납니다.

*당신이 대접 받고 싶은 대로 당신도 대접하라.'

4. 버겁게 살아가는 나의 환자들에게

어제도 한숨 소리로 하루를 시작했고
오늘도 한숨어린 하소연으로 하루를 시작합니다.

제 환자들은 대부분이 영세 상인들이기에
더욱더 한숨소리가 크게 다가옵니다.

당장 먹고 살길이 막막한 이들에게
함께 걱정하고 함께 아파할 수밖에 없음이
안타까울 따름입니다.

너나없이 힘든 시절이지만
이 어려움이 단거리 달리기가 아닌
장거리 달리기이기에

모든 것은 마음에서 만들어 낸다는
옛 성현 말씀이 필요한 시절인 것 같습니다.

행복과 불행은 바깥에 있는 것이 아니라
내가 만들어 낼 수 있다는 마음으로 살다보면

끝날 것 같지 않은 이 어둠의 터널도
언젠가는 출구가 나타날 것입니다.

모든 것은 지나가기 때문이지요.

5. 숨 가쁜 토요일

오늘도 아침 6시50분부터 열리기 시작한
병원 출입문은 끊임없이 열리고 닫혔습니다.

숨이 턱까지 차오르더니 양쪽 귓바퀴까지
치밀어 올랐습니다.

심근 경색으로 하늘의 별이 되신 엄마의
유전인자를 가지고 있기에 아스피린 한 알을
입에 넣고 물 한 모금으로 아침을 대신했죠.

그 후 숨 쉴 틈도 없이 환자는 밀려들었고
신들린 사람처럼 달리고 또 달렸습니다.

12시를 향해 시계바늘이 달리고 있을 때
대기실에서 급한 음성이 들려왔습니다.

"엄마 왜 그래? 정신 차려."
급하게 대기실로 뛰어나갔죠.

환자가 쓰러져 식은땀을 흘리며 의식이 없었습니다.
급히 통조림을 따서 당분을 섭취하게 하고
다리를 올리고 편안히 눕히고 안심시키며

환자를 체크했습니다.
한참 후 맥박이 돌아왔고
혈압도 조금씩 오르고 있었죠.

구급차를 불러놨지만 차는 오지를 않고
그렇게 시간이 흐르고 기다리는 환자는 20여명.

환자가 의식이 돌아왔기에 간호사에게 지키게 하고
다시 환자를 보기 시작했죠.

손과 발에 힘이 다 빠져 숨이 막혀왔지만
맘을 다잡고 환자를 봤습니다.

내 모든 감각세포들은 밖에 가 있었고
그 일부분으로 환자를 봐나가야 했기에
더 정신을 차려야 했죠.

쓰러졌던 환자는 정신을 차리고 정상으로 회복 되어
응급실로 가지 않고 보호자들이 모시고 갔습니다.

1시 넘어 직원들은 퇴근하고
한 발자국도 뗄 수 없어 병원 환자 침대에 누웠습니다.

손가락 까닥할 힘도 없었지만

숨 가빴던 하루가 그래도 무사히 지나갈 수 있게
보호해 주신 모든 성현님들의 사랑에 눈물이 났습니다.

6. 휴일 없는 휴일

토요일 밤늦게 걸려온 전화가 맘에 걸려
일요일 새벽에 일어나 리콜을 했습니다.

환자의 손자가 약을 먹어도 열이 안 떨어 진다네요.

쉬시는 날이지만 혹시 주사를 놔줄 수 있냐고
조심스럽게 묻는 단골환자에게

아침 7시40분에 병원에서 만나자는 약속을 하고
원미동 골목의 꽤 쌀쌀한 바람을 맞으며
병원으로 향했습니다.

토요일의 급박했던 흔적이 마음속에 남아있는 대기실을
기도로 청소하고 환자에게 주사를 놔주고
감사의 말과 맛있는 수박 선물도 받았죠.

온몸에 힘이 빠지는 숨 막히는 순간도 있지만
내가 필요하다며 밤중에도 전화 하는 환자가 있기에
오늘도 기꺼이 의사로써의 내 길을 갑니다.

이 길은 하늘이 내게 준 길이기에

쓰러져 하늘 길 오르는 순간까지
달리고 또 달리렵니다.

달리다 힘 빠지면 걸을 것이고
걷다가 힘 빠지면 네발로 기어서라도
하늘이 내게 주신 사명을 감당하렵니다.

아무리 버겁고
힘들게 하는 환자들과 마주해도
나를 필요로 하는 환자가 있기에

의사되길 잘했다는 생각이 들고

의사로서 가슴 벅찬 순간들이 있기에
이 길을 달릴 수 밖 에 없습니다.

7. 저 사람이 왜 저런 말을 할까

대기실에서 접수를 할 때 환자가 하는 말이
내 마음에 걸렸습니다.

환자가 진료실로 들어오기 전 왜 낫지 않냐고
따지듯 묻는 환자의 챠트를 봤습니다.

환자는 피부 알레르기로 일 년 전에 내원하고
그 후 한 번도 오지 않은 분이었죠.

환자가 들어오자 말했죠.
우리 병원에는 일 년 전에 딱 한번 오셨는데
어디서 치료 계속 받으셨나요?

여기저기 다 돌아다녀봤지만 낫지를 않는다고
답하더군요.

저는 마음속으로 말했죠.
"우리병원에 안 왔었잖아요.
근데 왜 마치 우리병원에서 치료했는데
낫지 않은 것처럼 말을 하세요?"

하지만 숨 한번 들이쉬고 참을인(忍)자 되뇌이고

저 환자가 얼마나 지쳤으면 저렇게 말을 할까라고
생각을 바꾸었습니다.

그런 마음으로 환자에게 말했죠.
'참 많이 힘드셨나 봅니다."

환자는 그동안 치료한 내용들을
한없이 늘어놓기 시작하더군요.

뒤에 환자들이 기다리고 있었지만
환자의 얘기를 들으면서
참 힘들었겠다 싶어 부정적 말과 공격적인 태도마저
가여운 생각이 들었습니다.

하루 진료가 끝나고 퇴근길에
환자와 의사로 맺은 인연들을 생각해봤습니다.

인연의 연緣은 실에 돼지 돈이 합쳐진 것으로
돼지를 실에 묶어 끌고 가는 것만큼
어렵다는 뜻이라고 합니다.

아무리 어려운 인연들일지라도
물주고 사랑주고 아껴주면
언젠가는 아름다운 인연의 꽃이
피어나리라는 믿음을 가지고

온 힘 다해 인연나무를 키워 보렵니다.
환자와 의사로 만난 인연나무들을.